antropología

traducción de
LUISA SALOMONE

IDEOLOGÍAS INDIGENISTAS Y MOVIMIENTOS INDIOS

por

MARIE-CHANTAL BARRE

siglo veintiuno editores, sa de cv
CERRO DEL AGUA 248, DELEGACIÓN COYOACÁN, 04310 MÉXICO, D.F.

siglo veintiuno de españa editores, sa
C/PLAZA 5, MADRID 33, ESPAÑA

siglo veintiuno argentina editores, sa

siglo veintiuno de colombia, ltda
AV. 3a. 17-73 PRIMER PISO, BOGOTÁ, D.E. COLOMBIA

edición al cuidado de maría oscos
portada de anhelo hernández

primera edición, 1983
tercera edición, 1988

ISBN 968-23-0930-1

impreso y hecho en méxico/printed and made in mexico

ÍNDICE

INTRODUCCIÓN

"...las nacionalidades indias que después de 1492 cargan hasta hoy la ignominia de ser pueblos socialmente discriminados, racialmente segregados, económicamente explotados, culturalmente alienados y políticamente oprimidos por causa de las castas europeizadas llamadas "sociedades nacionales" que dominan en cada uno de los países..."[1]

La "cuestión india" surgió en América llamada Latina como resultado del choque brutal entre la civilización occidental y las civilizaciones indias. Desde entonces, la explotación y la opresión sobre los indios se han extendido a todos los niveles de la vida social y en nuestros días a nadie escapa la amplitud de los contrastes entre indios y no indios. Lejos de haber sido resuelta, la problemática india sigue presente como cuestión a elucidar, pese a importantes intentos de interpretación y respuesta, como la del marxista Mariátegui en el Perú, quien llamó la atención sobre el aspecto económico del problema. Éste, sin embargo, no se circunscribe al universo de las relaciones económicas, aunque revista una importancia considerable.

¿No estará el "problema" indio íntimamente ligado a la subsistencia de relaciones coloniales internas, en la medida en que la "independencia" de América Latina frente a España no acarreó necesariamente la descolonización de las regiones indias?

[1] *Conclusiones del Congreso de Movimientos Indios de América del Sur,* Ollantaytambo, Perú, marzo de 1980.

Planteada hasta hace poco únicamente por los no indios, en particular a través de la corriente indigenista (el indigenismo es una ideología de los no indios), la cuestión india no ha recibido, de hecho, más que respuestas parciales debido, entre otros factores, a la ausencia de diálogo entre los dos grupos.

En este trabajo no pretendemos dar una respuesta, pero sí esperamos aportar nuevos elementos para su apreciación; entre otros, la visión india del problema, las perspectivas de interpretación que se desprenden de ella y algunas nuevas orientaciones para la investigación.

La población india ocupa un lugar importante en el continente, no sólo en términos numéricos sino también geográficos y culturales, y debido también a lo específico de su situación y a su papel histórico. En la actualidad, según un estudio reciente publicado en *Nueva Antropología,* alcanza ya los 26 millones de personas, agrupadas en aproximadamente 400 etnias diferentes.[2] Sin embargo, según fuentes indias, se encuentra entre los 55 y los 80 millones.

Gran parte de esta población desempeña un papel fundamental en la agricultura, sector que pese al acelerado desarrollo de la urbanización, sigue siendo de gran importancia en la economía latinoamericana. Por otra parte, los datos lingüísticos dan testimonio de una diversidad cultural muy rica, no solamente por el número de lenguas y dialectos hablados, sino también por la cultura y la visión del mundo que éstos implican.

A causa de sus peculiaridades, la población india no debería ser reducida a una clase social,

[2] Nemesio Rodríguez y Edith Soubié, "La población indígena actual en América Latina", en *Nueva Antropología,* año III, núm. 9, México, 1978, pp. 49-66.

ya que sobre ella se ejerce no solamente una explotación económica, sino también una opresión cultural y política. Algunos movimientos indios llegan incluso a reclamar su liberación en tanto que "naciones" colonizadas y oprimidas. Es cierto que en su mayoría se trata de grupos campesinos, pero sobre todo son indios, con todas las características propias de un pueblo. La indianidad significa una civilización y un conjunto de valores comunes, aunque también y ante todo una unidad histórica forjada a lo largo de cinco siglos de dominación. La toma de conciencia de esa indianidad se manifiesta ante todo a través de los congresos de organizaciones indias, reuniones que se han venido celebrando de manera regular durante los últimos años. Estos encuentros dan fe del florecimiento de una nueva ideología, el indianismo, que examinamos más adelante debido a la función motriz a la cual parece estar destinada en el seno de las luchas indias. No estudiamos aquí ningún grupo indio en particular ubicado en tal o cual espacio determinado. Se han elaborado ya numerosos estudios de esa naturaleza y nos pareció más conveniente dirigir la mirada hacia el conjunto de las relaciones entre indios y no indios (en particular a través del estudio de la política indigenista) y hacia el fenómeno de la creciente extensión y multiplicación de las organizaciones indias en la perspectiva de su propio desarrollo. Lo que aquí nos interesa no es el indio en el seno de una comunidad aislada, sino en relación con el resto de la sociedad nacional, a fin de no caer en un reduccionismo que nos impediría ver que el indio vive en un contexto y no en una sociedad cerrada. En nuestro caso, se trata de indagar sobre las posibilidades de una coexistencia de los dos grupos que no se traduzca en la explotación y la opresión sobre los indios.

Rechazamos las concepciones dualistas según las cuales las sociedades "tradicionales" constituyen un freno al desarrollo. Los indios, por su parte, podrían devolver la acusación y estimar que su propio desarrollo ha sido y sigue siendo frenado por las sociedades "modernas", copiadas del exterior.

Ha llegado ya el momento de considerar a las poblaciones indias no como un obstáculo sino como el motor, y aun el conductor, de un desarrollo apropiado. En el contexto de un cambio profundo de las estructuras sociales, dicho desarrollo debería ser socialista de raíces americanas, multirregional, incluso plurinacional, multicultural e integral; debería ser la alternativa al desarrollo capitalista centralizado, unilateral y lineal y, a la vez, a los socialismos ya existentes, dado que estos últimos fueron concebidos en el seno de realidades histórico-sociales diferentes a las americanas y por lo tanto, no deberían adoptarse como solución para los problemas del continente. Éste es quien debe definir su propio socialismo, marcado por el sello más o menos acentuado de la presencia india, según su importancia en los diferentes países.

El pluralismo cultural debe ser considerado como un factor de desarrollo, de otro desarrollo, "endógeno", que sepa contar ante todo con sus propias fuerzas, en oposición al desarrollo "exógeno" que reproduce la dependencia de los países latinoamericanos al orientarlos hacia un desarrollo de tipo occidental, muchos de cuyos aspectos son completamente ajenos a las realidades de esos países. Más adelante veremos de qué manera las poblaciones indias pueden contribuir al desarrollo. Constituyen toda una dimensión de la problemática socioeconómica, política y cultural del continente y son una fuerza capaz de participar no solamente en la ejecución de los cambios necesarios —e incluso provocarlos— sino también de dirigirlos. Está claro que las estrategias de los grupos indios difieren entre sí según la importancia demográfica de las poblaciones en el seno de cada estado-nación.

En el primer capítulo de este ensayo estudiaremos la política indigenista, es decir, la respuesta dada por las clases dominantes al problema indio. Haremos un bosquejo histórico de esta política durante la época colonial y la era republicana; de esta última estudiaremos el impacto del liberalismo sobre las poblaciones indias. A continuación, examinaremos la política integracionista de la época actual que trata de incorporar a los indios a la sociedad dominante, proletarizándolos e integrándolos a las clases sociales explotadas (los campesinos, los obreros). Esperamos mostrar cómo esta proletarización se traduce en un empobrecimiento creciente y en una marginación que afecta a todos los niveles (social, económico, político, cultural).

Hemos querido llamar la atención sobre los procesos de integración ejecutados por los gobiernos con el fin de mantener el colonialismo interno y perpetuar el sistema dominante. Hemos insistido sobre todo en el proceso de privatización de las tierras y de desintegración de las comunidades indias. Veremos cómo la política indigenista está muy ligada al proceso de modernización capitalista y, más recientemente, a la ideología de la seguridad nacional.

Los intentos de integración a la sociedad dominante responden también a la voluntad de los gobernantes —cualquiera que sea su tendencia política— de construir la "unidad nacional". En el siglo XIX latinoamericano, las jóvenes "naciones" independientes se constituyeron en "estados-naciones" según el modelo de aquellas naciones que después de la derrota de Napoleón se consolidaban en Europa. Había que hacer todo lo posible para que en América llamada Latina el estado-nación, creado por la voluntad de los gobernantes respondiendo a los intereses de los grupos dominantes, llegara a ser una realidad palpable para todos. Desde entonces, la búsqueda de la identidad nacional se convirtió en el objetivo esencial. Es por ello que la política indigenista trata de asimilar a los pueblos indios en el seno de la "nación" dominante, la nación de los no indios, siendo el estado-nación, claro está, el estado de la nación dominante. Este tipo de integración de las poblaciones autóctonas existe tanto en los países capitalistas como en aquellos que han optado por el camino del socialismo.

Concentraremos nuestra atención sobre el indigenismo, ideología que poco a poco perdió el carácter reivindicatorio de sus orígenes para convertirse en una ideología al servicio del estado. La política indigenista, traducción institucional de la ideología del indigenismo, constituye un aparato ideológico de estado peculiar al continente americano. La constatación de esta evolución del indigenismo no debe impedirnos, sin embargo, reconocer la importancia de su papel histórico.

Veremos cómo la política indigenista no toca el fondo del problema, limitándose simplemente a redefinirlo como un problema de integración: apoyándose en la ideología de las clases dominantes, el indigenismo trata de "resolver" el "problema indígena" mediante la integración, la aculturación, el mestizaje, etc. Integración que, debido al carácter unilateral de su proceso, significa simple y llanamente desintegrarse de lo indio para integrarse al sistema dominante ya existente; aculturación igualmente unilateral y necesariamente desculturizante (respecto de su propia cultura) para quien se acultura. Por lo demás, la solución del mestizaje no implica un intercambio fecundo en las dos direcciones y constituye otro intercambio desigual. Detrás del término "mestizaje" se oculta la adquisición de los rasgos más negativos de la sociedad occidental: proletarización, lumpenproletarización, marginación, desculturación... Es decir, se quiere evadir el verdadero problema a fin de esquivar también su solución. Mediante su asimilación, se persigue la eliminación del indio en su condición de tal, en su diferencia. La política indigenista no cuestiona en absoluto el problema de las estructuras, ni intenta cambiarlas y trata de solucionar la cuestión india dentro de las estructuras. Tampoco pone en tela de juicio las opciones de los gobiernos, sino que por el contrario, trata de conseguir que sean aceptadas.

De este modo, el indigenismo, que aun siendo una ideología de los no indios hubiera podido suponer alguna mejora en la situación del indio, se ha convertido, de hecho, en un recurso más para mantener y reproducir la explotación y la opresión. Si en algún momento el indigenismo fue o pudo ser "la voz de los sin voz" (especialmente en el mundo de la literatura), en nuestros días es una corriente ya superada, debido a que ahora son los propios indios quienes de manera directa presentan sus reivindicaciones. Esto constituye precisamente el contenido del segundo capítulo de este trabajo, que versa sobre las organizaciones indias y su visión del problema, tal como ha sido expuesto en encuentros y congresos, y a través de su prensa. Nuestro análisis se limita a una parte de esas reuniones y documentos, pues hubiera sido imposible estudiarlos en su totalidad, no sólo por falta de tiempo, sino también de material. Creemos, sin embargo, haber reunido elementos suficientes como para llegar a algunas conclusiones y desarrollar ciertas reflexiones en relación con el futuro de los países latinoamericanos, a la luz de estos eventos.

El segundo capítulo constituye un intento de análisis de la ideología india y de las estrategias de estos movimientos, así como de sus reivindicaciones, según han sido expresadas mediante su prensa, sus declaraciones, etc. Nuestro esfuerzo ha consistido en mostrar lo específico de esas organizaciones, que representan a pueblos y no únicamente a campesinos; que son portavoces de un conjunto de pueblos explotados económicamente, oprimidos cultural, política y civilizatoriamente, y discriminados racial y socialmente; conjunto de pueblos para quienes el imperialismo occidental en bloque constituye el enemigo a combatir: un enemigo imperialista multidimensional al cual se aprestan a enfrentar, apoyados en la indianidad. Veremos además, que el problema de las estructuras existentes se perfila como un aspecto necesario aunque no suficiente para la consideración global del problema, que incluye también otras dimensiones importantes. Baste por ahora mencionar que los encuentros y congresos indios constituyen, a la par de una crítica a esas estructuras, una requisitoria contra el occidentalocentrismo, contra ese seudodesarrollo de inspiración precisamente occidental que no consigue sino engendrar crecientes desigualdades, contra una civilización que, queriéndose universal, destruye en nombre del modernismo las culturas tradicionales y suprime toda posibilidad de desarrollo auténtico. En fin, el estudio de esas reuniones indias nos permitirá analizar el proceso de evolución de las organizaciones indias y sus perspectivas.

El tercer capítulo de este libro es un examen de la nueva situación que se ha creado en el continente americano como resultado del fracaso de la política indigenista tradicional y de los nuevos bríos de la conciencia india, la cual, como ya se ha dicho, ahora presenta el problema en términos políticos, culturales, económicos, sociales y, sobre todo, de colonialismo. La aparición de las organizaciones políticas indias y su consecuente emergencia en la escena política nacional e internacional, constituye un elemento nuevo en la realidad latinoamericana. El estudio de los congresos indios nos proporcionará una visión distinta de la problemática del continente y es sobre la base de esa nueva visión que podremos concebir perspectivas igualmente nuevas.

Este ensayo no pretende ser exhaustivo, a sabiendas de que la amplitud y la complejidad del tema no se lo permitiría y en su forma actual está lejos de haber agotado la discusión del problema. Se trata más bien de un primer acercamiento teórico que conscientemente queda dentro de los límites de las problematizaciones. Sin embargo, esperamos que constituya una primera etapa hacia profundizaciones ulteriores, lo que aparece tanto más urgente en la medida en que la distancia económica y cultural —producto del colonialismo interno— no cesa de agrandarse entre los indios y no indios. Con ello se aleja también cada vez más la posibilidad de alianza entre ambos grupos dentro de un proyecto concertado de desarrollo.

Probablemente pueda parecer ambicioso el que hayamos querido estudiar, en una misma obra, la política indigenista, por una parte, y el fenómeno de las luchas y reivindicaciones indias por otra. Es un hecho, sin embargo, que ambos fenómenos están íntimamente unidos y de ahí que nos haya parecido oportuno estudiarlos simultáneamente con el fin de mostrar la continuidad y la incompatibilidad existentes entre ellos, así como la diferencia ideológica que los separa.

Sabiendo que ambos grupos existen y que entre ellos las relaciones son cada vez más difíciles, se trata de orientar la reflexión hacia la búsqueda de soluciones que sean favorables para los dos. Los pueblos indios constituyen una realidad socioeconómica y cultural de gran importancia en el continente americano y, en la medida en que han empezado ya a tomar conciencia de su condición y de su papel histórico pasado, presente y futuro, nacional e internacional, todo proyecto político debe tenerlos en cuenta.

Antes de terminar esta introducción, haremos algunas precisiones conceptuales.

En primer lugar, es conveniente definir la *indianidad* tema de este estudio. Varios son los criterios utilizados por los investigadores: la lengua, la cultura, la organización, la vida en comunidad, la situación socioeconómica, la raza... Este último no tiene ya tanta importancia (si bien podría utilizarse para el estudio de la época colonial), debido al fuerte mestizaje biológico, económico y cultural que se ha producido en América. Todo indio que haya hecho suya una parte de la cultura (no india) dominante, será considerado mestizo; si esa persona llega a ocupar cargos sociales generalmente reservados a los no indios, ya no será considerada india (el caso de Juárez en México ilustra este criterio: nacido en una comunidad zapoteca del estado de Oaxaca, Juárez llegó a ocupar la presidencia de México y dictó leyes contrarias a los intereses de los indios, en especial las que regulaban la venta de las tierras comunales).

La categoría de *indio* denota la condición de colonizado y se refiere necesariamente a la relación colonial.[3] Si el indio continúa siendo explotado y oprimido, sigue siendo indio; si se convierte en explotador y opresor, se transforma en mestizo tanto a los ojos de los indios como de los no indios. Si la integración a la sociedad no india es voluntaria o si ocurre sin mayor resistencia por parte de quien se integra, el indio perderá poco a poco su indianidad; por el contrario, cuando la integración es coercitiva, la indianidad no desaparece y el indio sigue siendo explotado, oprimido y "no integrado".

El II Congreso Indigenista Interamericano (Cuzco, 1948) consideró la autoidentificación como el criterio fundamental de la indianidad y formuló la siguiente definición: "El indio es el descendiente de los pueblos y naciones precolombinos que tienen la misma conciencia social de su condición humana, asimismo considerada por propios y extraños, en su sistema de trabajo, en su lengua y en su tradición, aunque éstas hayan sufrido modificaciones por contactos extraños."[4]

Por nuestra parte, en este ensayo utilizaremos el término de indio como categoría genérica, que ha nacido de y que expresa una situación colonial específica de las Américas, situación sufrida por

[3] Guillermo Bonfil Batalla, "Los pueblos indígenas: viejos problemas, nuevas demandas", en *México hoy,* México, Siglo XXI, 1979, 2a. ed.

[4] *Actas finales de los tres primeros Congresos Indigenistas Interamericanos,* Ciudad de Guatemala, Publicaciones del Comité Organizador, mayo de 1959, p. 86.

los pueblos autóctonos de ese continente; y el de no indio para designar a las personas blancas o mestizas. No ignoramos el aspecto racial, tan duramente sentido por los indios, pero creemos que no debe distraernos de los problemas fundamentales. Es evidente la existencia del racismo en las relaciones entre indios y no indios y por ello hemos consagrado a este fenómeno un apartado especial.

Hay que decir algunas palabras sobre la utilización de los términos "indio" e "indígena" cuando nos referimos a los autóctonos de América. El empleo de uno u otro término responde generalmente a cierta ideología. La palabra "indio" pronunciada por los no indios es a menudo peyorativa y se acompaña habitualmente de adjetivos negativos. Por consiguiente, para evitar esta connotación peyorativa, los indigenistas prefieren utilizar el término "indígena". Así, hablarán de "política indigenista" o de "cuestión indígena", no sin cierto paternalismo. En algunas regiones de América en las que los indios son minoría, ellos mismos se autodenominan "indígenas", retomando el término utilizado por los indigenistas: se trata de grupos de indios que buscan alianzas tácticas o estratégicas con los no indios (Colombia, Venezuela, Panamá, Costa Rica...). Puede decirse que este empleo responde a una *terminología estratégica*. Este fenómeno, sin embargo, no es general (en Brasil se denominan también "indios"). En la actualidad, la palabra "indio" ha sido recuperada por los indios mismos como signo de identidad y de lucha; de este modo, entramos en una *terminología combativa*: "Si indio ha sido el nombre con el que fuimos sometidos, indio será el nombre con el que nos sublevaremos." [5] Así

[5] Manifiesto del Movimiento Indio Pedro Vilca Apaza, Perú.

empleada, la palabra "indio" lleva en sí la voluntad de luchar contra la dominación de los no indios. De igual modo, como se mostrará en este ensayo, las ideologías que se desprenden de los términos "indígena" e "indio" difieren totalmente: el indigenismo es la ideología de los no indios, mientras que el indianismo es la ideología de los indios. . .

La diferenciación entre los dos términos se acentúa con el desarrollo de la organización india y la toma de conciencia de la opresión colonial. El término "indio", nacido con la colonización de América, es retomado con fuerza para denunciar la persistencia de la relación colonial, subrayando el hecho de que *la colonización no ha terminado* y, a la vez, se utilizan las mismas armas del colonizador para volverlas contra él. Por el contrario, al utilizar el término "indígena", se corre el riesgo de eliminar la connotación colonial y, por consiguiente, de abordar el problema de forma distinta. Algunos autores, sin embargo, lo utilizan habitualmente, sin dejar por ello de reconocer la existencia de la relación colonial.

La palabra "indio" pone de relieve la lucha contra el colonialismo, lo que explica también que los movimientos más radicales, al plantear esta lucha en términos de "liberación nacional", se reivindiquen como "indios". Los "indígenas", en cambio, aceptan más fácilmente su condición de "minoría" dentro de la sociedad nacional, sin renunciar por ello a su autenticidad.

En este ensayo emplearemos el término "indio", salvo cuando en los textos de referencia se utilice el término "indígena".

Por otra parte, es conveniente aclarar el sentido que atribuimos al término "étnico". En efecto, durante nuestras investigaciones, hemos comprobado que algunos científicos sociales lo emplean para referirse únicamente a la raza. El resultado es que al hablar de movimientos étnicos, éstos adquieren una connotación racial. Incluso Mariátegui incurre en esta imprecisión: "La suposición de que el problema indígena es un *problema étnico* se nutre del más envejecido repertorio de ideas imperialistas. El concepto de las *razas* inferiores sirvió al occidente blanco para su obra de expansión y conquista." [6]

Esta actitud del pensador peruano, de quien reconocemos los méritos y la aportación a las ciencias sociales latinoamericanas, apoyó su tesis según la cual el problema indio era un problema únicamente socioeconómico. La confusión sobre el sentido de etnicidad no le permitió evaluar la dimensión cultural y política del problema. Al acentuar la dimensión económica en detrimento de la cultural, Mariátegui pretendía contrarrestar la corriente culturalista y las teorías racistas que prevalecían en la época. Su intención es honesta en sí, pero con el pretexto de criticar el culturalismo, se puede caer en el economicismo...

De igual forma, Alejandro Marroquín habla de "distribución étnica" refiriéndose a blancos, indios, mestizos...[7]

Por nuestra parte, al hablar de lo étnico queremos referirnos a la vez a la cultura, al idioma, a la organización social, económica y política, a la localización en un lugar determinado, al modo de vida, etc. Resumiendo: asimilamos la etnia, india o no india, a un grupo sociocultural diferen-

[6] José Carlos Mariátegui, *7 ensayos de interpretación de a realidad peruana,* Lima, Biblioteca Amauta, 1974, p. 40. (Las cursivas son nuestras.)

[7] Alejandro Marroquín, *Balance del indigenismo,* México, Instituto Indigenista Interamericano, 1972, p. 152.

ciado y no a un grupo racial. La población india de América está compuesta por varios pueblos que corresponden a etnias diferentes. He aquí una definición que nos parece bastante acertada: "Una minoría étnica indígena podría definirse como un pequeño grupo poblacional autóctono, con una estructura sociológica que le es propia, generalmente en una situación de equilibrio ecológico precario en el momento actual." [8]

Los mismos autores establecen también la definición de "minoría sociológica indígena" como "un gran contingente poblacional autóctono, con una estructura sociocultural que le es propia y que si bien forma una sociedad claramente definida, en el caso de América Latina, carece de representación política propia, es decir, como tal, en la sociedad nacional en cuyo territorio habita".

Finalmente, en este ensayo trataremos de mostrar cómo la política indigenista, en tanto aparato ideológico del estado, trata de perpetuar el sistema dominante manteniendo la relación colonial en todos sus aspectos, reproduciendo la occidentalización de los pueblos indios. Por lo que respecta al estudio de los movimientos indios, trataremos de mostrar a la vez su diversidad y su unidad (dentro de los límites del material de que disponemos).

En cuanto a la cuestión india, creada por los no indios, la interpretaremos como un doble problema, colonial y de civilización, y no de integración.

Desgraciadamente, este ensayo no aborda países como Chile, Argentina y Paraguay, pues en el momento de su elaboración no disponíamos de elementos suficientes sobre su política indigenista,

[8] Nemesio Rodríguez y Edith Soubié, *op. cit.*, p. 50.

ni sobre los movimientos indios que en ellos han surgido y se desarrollan.

Por último, este ensayo quiere ser general, precisamente para demostrar la continentalidad de las ideologías que en él se estudian, indigenismo e indianismo, mediante el análisis de la diferencia de sus manifestaciones según los países y según los pueblos.

1. LA POLÍTICA INDIGENISTA

I. RETROSPECTIVA HISTÓRICA

La política indigenista constituye la respuesta de las clases dirigentes latinoamericanas a la cuestión india. Ésta se plantea ya con la llegada de los españoles, que tuvo lugar en términos de conquista y se inscribía en el marco del capitalismo naciente: era necesario elaborar una legislación que institucionalizara el sojuzgamiento de los pueblos autóctonos.

1. *La época colonial*

Desde que pisaron el suelo de América, los españoles pensaron utilizar la fuerza de trabajo local. Al fracasar el intento de trata de esclavos taínos (Cuba) debido a los escrúpulos de Isabel la Católica, los españoles se quejaron contra Cristóbal Colón, pues la trata únicamente resultaba rentable para la Corona y para Colón mismo. Se instauró entonces un sistema de instituciones coloniales que satisfaciera los apetitos de los conquistadores y se creó un sistema propio de la América colonial que se difundió desde principios del siglo XVI, *la encomienda.* El encomendero, según un derecho otorgado por la Corona, tenía a su servicio cierto número de indios. Las leyes coloniales prohibían la trata de indios, pero reconocían que aquellos que se rebelasen podían ser convertidos en esclavos. Según las instrucciones de la reina Isabel, los indios debían ser considerados "libres" y no sometidos a servidumbre; eran "vasallos libres", pero al mismo tiempo, los conquistadores estaban autorizados a obligarles a trabajar si se negaban a hacerlo "libremente"... Por el sistema de la encomienda, el encomendero recibía los tributos y trabajos forzados de un grupo de indios y, en teoría, estaba obligado a asegurar su evangelización.

La gran mayoría de los indios quedó sometida a la encomienda, fuente esencial de mano de obra autóctona para los españoles. Tal y como acabamos de exponer, los indios seguían siendo libres según el derecho, pero de hecho trabajaban como esclavos. Estos excesos provocaron protestas, la del padre Montesinos,[1] por ejemplo, quien condenó la desenfrenada explotación que sufrían los indios. A raíz de estas protestas, se promulgaron las Leyes de Burgos (1512-1513) que reglamentaban la encomienda, sin suprimirla. En la práctica, no fueron suficientes para cambiar la situación, pero ponían de manifiesto la intención, por parte de la Corona, de dotar a la sociedad colonial con una estructura jurídica que limitase los abusos. Solamente en este sentido se puede decir que la Corona española trató de "proteger" las comunidades indias. El padre Bartolomé de las Casas tuvo gran influencia en este sentido ante la reina Isabel.

En 1530, una cédula real prohibía la esclavitud de la población india.

La colonia utilizó en su provecho la institución de la "mita" que existía ya antes de la llegada de los españoles, transformándola en un trabajo forzado y asalariado, especialmente para la explota-

[1] En 1511, en una iglesia de Santo Domingo, el padre Montesinos pronunció un discurso explosivo en defensa de los indios. Su denuncia provocó las protestas del virrey Diego Colón.

ción de las minas, pues el descubrimiento de importantes yacimientos de plata hacía imprescindible una legislación que conciliase la abolición de la esclavitud con la necesidad de mano de obra. Los representantes reales, o "corregidores", controlaban el trabajo. En realidad, era trabajo forzado que causó gran número de muertes.

En 1542, las "Leyes Nuevas" de Barcelona constituyen el reconocimiento oficial del movimiento reformador del padre de las Casas. Se suprimía cierto número de encomiendas, quedaban prohibidos nuevos "repartimientos" y se establecía la desaparición progresiva de esta institución... También se prohibía cualquier nueva forma de esclavización de los indios. Estas leyes provocaron una avalancha de protestas y los colonos trataron por todos los medios de dificultar su aplicación.

En 1549, varias cédulas reales prohibían los servicios personales de los indios en las encomiendas, pero no se aplicaron. Habrá que esperar hasta el siglo XVII para que esta institución desaparezca.

Hay que reconocer que las Leyes de Indias protegían las comunidades, pero la legislación colonial no ponía en tela de juicio la condición servil de los indios. Esta condición, además, se justificaba mediante la evangelización que, según los conquistadores, era razón suficiente para considerar a las poblaciones indias como inferiores y no civilizadas. Los invasores occidentales ya estaban convencidos de poseer *la* verdad. Por una parte, las leyes coloniales tenían como finalidad integrar al indio en el sistema importado por España que favorecía la expansión del capitalismo y, por otra, aculturarle mediante la castellanización y la evangelización. El cristianismo era, en esa época, el mejor agente del colonialismo.

2. *La experiencia jesuita*

Aun cuando el cristianismo fue un agente del colonialismo, cierto es también que en su seno se levantaron voces de protesta contra la acción colonizadora: es el caso de la Orden de los Jesuitas. En algunas ocasiones, como lo subraya Mariátegui,[2] en el Perú los jesuitas dieron muestras de habilidad económica, pues los latifundios que les habían sido confiados prosperaron. Los padres jesuitas se instalaron en varios países de América Latina, entre ellos México, Perú y sobre todo Paraguay, en los que pusieron en práctica una experiencia colectivista (inspirada en las aptitudes indias) y a la vez paternalista (el objetivo era el control de las poblaciones aborígenes). Las misiones del Paraguay funcionaron durante más de ciento cincuenta años. Reunidos en "reducciones", los indios guaraníes estaban, de hecho, más bajo la autoridad de las misiones que la de la propia Corona. Dirigidas por los jesuitas, con una organización minuciosa del trabajo, la agricultura, la ganadería, el cultivo del café y de la yerba mate, hicieron de las misiones una potencia económica de primer orden, competitiva incluso para la provincia civil, pues gozaban, además, de privilegios especiales y de exenciones fiscales.[3]

El apogeo de la acción de los jesuitas se sitúa en el siglo XVII y en la primera mitad del siglo XVIII.

La experiencia jesuita constituía una alternativa de la acción indigenista colonial, frente a la Inquisición que perseguía a los indios. Aunque esta organización dirigida por las misiones hacía que los indios viviesen en condiciones aceptables,

[2] José Carlos Mariátegui, *7 ensayos...* cit.

[3] Rubén Barreiro Saguier, *Le Paraguay*, París, Bordas, Études 201, 1972, p. 25.

contrariamente a lo que sucedía en las encomiendas, no deja de ser cierto que seguía tratándose de un "colectivismo" colonialista dirigido. Los jesuitas llevaban a cabo su "conquista espiritual", pero adquirían cada vez más poder gracias al desarrollo económico que la organización producía, permitiéndoles incluso enfrentarse a las autoridades reales, especialmente después de la formación de un ejército indio. Habiéndose convertido en un verdadero poder capaz de enfrentarse a la Corona, las misiones fueron expulsadas de sus territorios, acusadas de conspirar contra el poder real.

3. *La época republicana y el liberalismo*

"La revolución de la independencia no constituyó, como se sabe, un movimiento indígena. Lo promovieron y usufructuaron los criollos y aun los españoles de las colonias." [4]

La independencia de las colonias españolas se hizo bajo el signo del liberalismo. La ideología del liberalismo que era, de hecho, el "progresismo" de la época, inspiró toda la legislación republicana. Una ideología importada, por supuesto, y que los "libertadores" de América Latina trataron de aplicar sin preguntarse si era posible adaptarla a la realidad. Por lo demás, era el soporte del nacionalismo naciente de los estados-nación que acababan de formarse. Pero, ¿cuáles fueron sus repercusiones sobre los indios?

Recordemos una fecha importante: el 8 de abril de 1824, por decreto de Bolívar todos los indios debían convertirse en propietarios de sus parcelas; los comuneros repartirían la tierra, entregando al estado los excedentes para su venta. Mientras

[4] José Carlos Mariátegui, *7 ensayos...* cit., p. 46.

la Corona protegía las comunidades, la República provocaba su desintegración, ignorando la tenencia colectiva de la tierra en nombre de los principios liberales.

El indio es "libre" de comprar y vender la tierra, pero al no estar adaptado a esa "libertad" se verá obligado a vender, y al no conocer las leyes liberales, se convertirá en la víctima de un despojo legal. La legislación liberal, anticomunitaria por excelencia, era contraria a los intereses de los pueblos indios y favorecía únicamente a los que acataban el sistema. El decreto de Bolívar provocó la privatización acelerada de las tierras, favoreciendo a los criollos.

Otra ley de doble filo: la igualdad jurídica de indios y blancos. La proclamación de la igualdad en un sistema que a todas luces preconiza las desigualdades, ¿no equivale acaso a institucionalizar la desigualdad? Al permanecer inalteradas, las estructuras siguen reproduciendo la desigualdad de hecho. Situado en el peldaño más bajo de la escala social, el indio no podía sino permanecer en él, a pesar de esa "libertad" que le confería los mismos derechos que a los blancos, pero que éstos conocían mejor que él. Esta desigualdad fue agrandándose cada vez más con el desarrollo del capitalismo en América Latina con todas sus contradicciones. Rodolfo Stavenhagen expone perfectamente este proceso: "Al principio de la época colonial fueron establecidas las leyes tutelares porque se consideraba que los indígenas eran seres inferiores. Pero al cabo de tres siglos de coloniaje, estas leyes sirvieron para mantener y fijar esta inferioridad. En consecuencia, al ser declarada la igualdad jurídica, el indígena se hallaba en un estado efectivo de inferioridad con respecto al resto de la población, en todos los dominios de la vida económica y social."[5]

Además, en muchos casos la igualdad jurídica era ficticia: los indios que no hablaban español no gozaban de ciertos derechos cívicos.

El liberalismo económico, emparejado a la expansión del capitalismo, favorece el colonialismo interno, cuyas primeras víctimas son las poblaciones indias.

El liberalismo profundizará entonces el colonialismo económico y cultural, importando nociones totalmente extrañas al mundo no occidental: privatización de la tierra, individualismo, etc., que, según los nuevos amos de América Latina, son las únicas formas de hacer progresar un país.

Por otra parte, la desintegración de las comunidades obligó a los indios a vender su fuerza de trabajo a las haciendas como arrendatarios o peones.

Paradójicamente, la "descolonización" de América por parte de los criollos frente a España, acentuó el proceso de colonización de los indios. La era republicana, que introduce la formación de nuevos estados con miras a transformarlos en verdaderos "estados-nación", significa objetivamente un empeoramiento de la situación de los indios con respecto a la época colonial.

4. *La corriente indigenista*

Según Henri Favre: "Llamamos 'indigenismo' una corriente de pensamiento y de ideas que se organizan y desarrollan alrededor de la imagen del indio. Se presenta como una *interrogación* de la

[5] Rodolfo Stavenhagen, *Las clases sociales en las sociedades agrarias,* México, Siglo XXI, 1980, 13a. ed., pp. 247-248.

indianidad por parte de los no indios en *función de preocupaciones y finalidades propias de estos últimos.*"[6]

La corriente indigenista nació en la segunda mitad del siglo XIX con la toma de conciencia de la presencia india en la economía nacional, favorecida por periodos que desempeñaron un papel histórico decisivo: la Guerra del Pacífico entre Perú y Chile (1879), el porfiriato en México. . .

En sus comienzos, el indigenismo se manifestó en la literatura, siendo iniciativa de sectores no indios sensibilizados por el problema. Si el interés de los no indios era en ese momento puramente romántico y humanitario, pronto irá adquiriendo una dimensión reivindicativa gracias a la toma de conciencia del lugar y del papel del indio en la sociedad.

El indigenismo se convierte en un instrumento de protesta contra la injusticia que padece el indio y se manifiesta a través de la literatura (Gregorio López Fuentes en México, Valcárcel en Perú, Jorge Icaza en Ecuador), de las ciencias sociales (Mariátegui en el Perú), en la formación de organizaciones proindígenas (Comité Pro Derecho Indígena Tahuantinsuyo en 1921 y el Grupo Resurgimiento en 1927, ambos en el Perú), de revistas (*Amauta,* fundada por Mariátegui, introdujo la corriente indigenista en las artes), etc. En 1921, un congreso nacional de estudiantes reunido en Cuzco decidió fundar "universidades populares" para los trabajadores con el fin de estudiar los problemas sociales, exigir la defensa de los dere-

[6] Henri Favre, *"L'indigénisme mexicain"*, en *Notes et Études Documentaires, La Documentation Française,* Problèmes d'Amérique Latine, núms. 4338-4339-4340, p. 72. (Las cursivas son nuestras.)

chos de los indios y luchar por la justicia social.[7]

El romanticismo iba quedando atrás. A principios del siglo, la cuestión india era objeto de debates y de polémica.[8]

Subrayemos que las teorías de Mariátegui aparecieron en un contexto que favorecía su elaboración en América Latina (la influencia de la Revolución mexicana de 1910, el movimiento estudiantil de Córdoba, Argentina, en 1918, la Revolución de Octubre, etc.) y respondían a la necesidad de analizar el problema indio en un momento en que los movimientos y las revueltas campesinas se habían multiplicado desde el comienzo del siglo. La literatura indigenista ya no era suficiente. Se imponía la necesidad de un análisis más profundo, político y social, que hasta ahora no se había llevado a cabo.

El análisis del problema en términos económicos, tal y como lo planteó Mariátegui, era necesario puesto que en la mayoría de los casos el factor económico no se tomaba en cuenta. Si, por un lado, Mariátegui dejó en segundo plano el factor cultural para resaltar el económico, por otro lado, tuvo el mérito de romper con el indigenismo romántico, convirtiéndolo en una tendencia más realista, más combativa y por lo tanto más peligrosa para las clases dominantes.

El indigenismo no ponía en tela de juicio las estructuras de la sociedad (para ello, hubiera sido necesario integrarlo en una lucha por el socialismo, según el deseo de Mariátegui), pero de todas formas contribuyó a que se tomara conciencia del problema indio y a mitigar algunos abusos. Re-

[7] Víctor Raúl Haya de la Torre, *¿Adónde va Indoamérica?*, Buenos Aires, Editorial Indoamericana, 1972.

[8] Manuel Aquezola Castro (comp.), *La polémica del indigenismo,* Lima, Mosca Azul Ed., 1976.

presentaba, por lo tanto, un peligro para las clases dominantes, pues podía afectar sus intereses, aun cuando no podía eliminarlos. El indigenismo no tuvo tiempo de convertirse en una corriente transformadora, pues se reveló fácilmente recuperable por parte de los gobiernos. Los grupos dominantes entendieron que en lugar de ser un enemigo, podía convertirse en su aliado a la hora de lograr que los pueblos indios sobrellevaran de buen grado, e incluso aceptaran, su condición de colonizados. El caso más típico es la recuperación del indigenismo al servicio del nacionalismo latinoamericano llevada a cabo especialmente por los gobiernos populistas. En América Latina, nacionalismo y populismo se dan la mano con soltura. Los gobiernos populistas, tanto de derecha como de izquierda, saben muy bien cómo recuperar el indigenismo para dirigirse a un sector de la población que, en general, no ha sido tomado en cuenta por las corrientes políticas tradicionales. Véase el caso de México (Cárdenas, Echeverría), del Perú (Velasco), o de Panamá (Torrijos)... Con el fin de consolidar la "nación" (calcando el modelo de las naciones europeas que se habían formado en la época posnapoleónica) el populismo latinoamericano atribuye a los indios una importancia inusitada en el discurso político y les reconoce un lugar significativo en la construcción de la "identidad nacional". Muy a menudo, hay que reconocerlo, este tipo de discurso ha sido eficaz. Véase un ejemplo reciente: durante la campaña presidencial en el Perú, Belaúnde Terry supo adular a los pueblos de la sierra ensalzando los grandes logros de los incas...

Con su oficialización, el indigenismo perderá el carácter reivindicativo de sus comienzos para convertirse en un instrumento de poder, un aparato ideológico del estado. Sin lugar a dudas, aportó mejoras en las condiciones de vida de los indios, pero siempre dentro del marco de una situación colonial que permanecía indiscutida.

II. LA POLÍTICA INDIGENISTA ACTUAL A NIVEL CONTINENTAL

La política indigenista de los gobiernos latinoamericanos acata las sugerencias de los Congresos Indigenistas Interamericanos. Ya en los años 30, la Unión Panamericana evocó el problema indio. En 1933, con ocasión de la VII Conferencia Interamericana que tuvo lugar en Montevideo, México propuso la celebración de un Congreso Indigenista Interamericano con el fin de elaborar un programa en favor de las poblaciones indígenas a nivel continental.

Del mismo modo, según la VIII Conferencia Internacional Americana de Lima, el 21 de diciembre de 1938: "Los indígenas, como descendientes de los primeros pobladores de las tierras americanas, tienen un preferente derecho a la protección de las autoridades públicas para suplir la deficiencia de su desarrollo físico e intelectual, y en consecuencia, todo cuanto se haga para mejorar el estado de los indios será una reparación por la incomprensión con que fueron tratados en épocas anteriores." [9]

El I Congreso Indigenista Interamericano tuvo lugar en México. Es una fecha importante para la historia del indigenismo, pues las autoridades

[9] David Vela, *Orientación y recomendaciones del I Congreso Indigenista Interamericano,* Ciudad de Guatemala, Publicaciones del Comité Organizador del IV Congreso Indigenista Interamericano, mayo de 1959.

latinoamericanas asumen la responsabilidad del problema indio, siguiendo una ideología explícitamente integracionista. En consecuencia, la integración, la aculturación y la asimilación constituirán las grandes líneas de esta política a nivel continental.

"...podemos definir el indigenismo como la política que realizan los estados americanos para atender y resolver los problemas que confrontan las poblaciones indígenas, con el objeto de *integrarlas a la nacionalidad correspondiente*".[10]

1. *El I Congreso Indigenista Interamericano, 1940*

El I Congreso Indigenista Interamericano se celebró del 14 al 24 de abril de 1940 en Pátzcuaro (México, estado de Michoacán). Auspiciada por México esta reunión tuvo lugar en presencia de numerosos etnólogos, antropólogos y sociólogos procedentes de todo el continente y estuvo presidida por el presidente mexicano en ejercicio, Lázaro Cárdenas. En el discurso inaugural, Cárdenas insistió sobre los siguientes puntos:

— dimensión continental de la cuestión de las razas autóctonas;

— la pertenencia del indígena a una clase social en la tarea colectiva de la producción;

— el indio y el mestizo constituyen un contingente muy importante en la producción de riqueza y, por consiguiente, de los factores determinantes de los movimientos de emancipación y de lucha por la libertad y el progreso de la nación.

— objetivo: no "indigenizar" México, sino "mexicanizar" al indio;

[10] Alejandro Marroquín, *op. cit.* (Las cursivas son nuestras.)

— utilización de las virtudes de las razas indígenas con miras al progreso colectivo.

¿Cuáles fueron las grandes resoluciones de este primer congreso?

En el ámbito político, se recomendó en particular la rectificación de la división política y administrativa de las regiones habitadas por los indígenas; la creación en cada país de oficinas para los asuntos indígenas; la redistribución de los grupos indígenas (colonización, reconocimiento de la personalidad jurídica de las comunidades tales como los "ayllus", las "parcialidades", los "ejidos",[11] las "reservaciones", etcétera).

En cuanto a la promoción social, debe ser "integral". No pretende mantener al indio en la agricultura, sino orientarlo hacia la industria. Habrá que respetar las instituciones tradicionales, pero éstas no se considerarán como formas permanentes de organización social. Se intentará fortalecer la disciplina del grupo, conservando los elementos positivos, coordinando la aspiración común del grupo con las aspiraciones nacionales. El desarrollo de la comunidad se efectuará con vistas a su *integración* a la vida nacional de cada país. Finalmente, reuniones periódicas con representantes indígenas de cada país les permitirán conocerse y cooperar con la acción indigenista.

En cuanto al personal indigenista, será preparado mediante cursos de perfeccionamiento que se impartirán tanto a indígenas como a no indígenas. El Instituto Indigenista Interamericano organizará el intercambio de información referente a orga-

[11] Aclaremos que el "ejido" (del que hablaremos más adelante refiriéndonos a México) no es una forma de tenencia de la tierra únicamente india. Existen también ejidos detentados por núcleos de población rural no india, esencialmente mestiza.

nización, métodos y resultados de estos cursos. La incorporación de las mujeres indígenas se hará mediante su participación como funcionarias en las oficinas de asuntos indígenas.

Derecho indígena: el Instituto Indigenista Interamericano creará una agencia encargada de estudiarlo en las distintas naciones. El Congreso recomienda la elaboración de una legislación protectora del indígena, la protección de la comunidad dentro de la organización jurídica de cada país, la garantía de los derechos políticos de los indígenas, la protección a la mujer indígena (para que se le concedan las mismas oportunidades que al hombre en materia de derecho a obtener la tierra, derecho al crédito, a la protección de las leyes del trabajo, etc. . .). El principio básico debe ser: igualdad de derechos y oportunidades para todos los grupos de la población americana.

En el plano agrario, el I Congreso Indigenista Interamericano recomendó la distribución de tierras entre los indios en las regiones de concentración de tierras, la ayuda a esas poblaciones facilitándoles tierra, agua, créditos y medios técnicos. La pequeña propiedad individual y la propiedad colectiva deberán ser consideradas como inalienables. . . Finalmente, al distribuir las tierras siguiendo una reforma agraria, se recomendaba la asignación de viviendas a la población indígena no campesina para formar "colonias" urbanas o semiurbanas.

Salud pública: creación de escuelas de medicina rural. Construcción de centros de medicina social, preventiva y curativa, en las regiones indígenas. . .

En el plano económico: promoción de las artes populares indígenas, de la pesca, de la ranicultura en las zonas pantanosas; construcción de caminos, creación de organismos de crédito agrícola, oficiales o semioficiales.

Para la educación, el Congreso recomienda la defensa de la cultura indígena, en particular el reconocimiento de la importancia de las lenguas nativas en las etapas iniciales de la educación; el uso de la lengua nacional en la educación, la elaboración de textos de lectura y escritura en la lengua nativa y de literatura posescolar, bibliotecas y periódicos en lengua nacional y autóctona. Las escuelas deberán estar dotadas con los servicios necesarios. Los maestros se capacitarán especialmente para afrontar los problemas indígenas; se dará preferencia a los maestros indígenas sobre los no indígenas. Se desarrollará la investigación a través de estudios antropológicos, psicológicos, etnológicos, etcétera...

Antropología aplicada: promover la creación de escuelas o departamentos de antropología para el estudio de la población indígena y para la formación de expertos en asuntos indígenas.

Investigación: el Instituto Indigenista Interamericano estimulará los estudios sobre patología indígena, creencias relativas a las enfermedades, botánica médica indígena, estadísticas, características culturales, historia indígena, costumbres, problemas originados por el contacto entre blancos e indios. Tarea fundamental: el problema educacional.

Este breve resumen de las recomendaciones del I Congreso se basa en el capítulo "Los objetivos oficiales del indigenismo" en *Balance del indigenismo,* de Alejandro Marroquín.[12]

Podemos apreciar que estas recomendaciones recogen a menudo el concepto de "protección" de

[12] *Op. cit.,* pp. 20-58.

los indios. La política indigenista en América Latina se caracteriza por su paternalismo. Sin embargo, reconocen la personalidad india y la importancia de las lenguas nativas, aun sin considerarlas en un plano de igualdad con el castellano. Por lo demás, el integracionismo de esta política es manifiesto.

2. *Creación del Instituto Indigenista Interamericano*

El I.I.I. se fundó, con sede en la ciudad de México, a raíz del I Congreso Indigenista Interamericano y recibió las atribuciones y poderes siguientes:

— reunir, ordenar y distribuir a los gobiernos, a las instituciones privadas y a las personas interesadas, información sobre:

— investigaciones científicas referentes a los problemas indígenas;

— legislación, jurisprudencia y administración de los grupos indígenas, incluidos los núcleos selvícolas;

— actividades de las instituciones interesadas en estos grupos;

— materiales que puedan ser utilizados por los gobiernos;

— recomendaciones de los mismos indígenas sobre asuntos que les conciernen;

— iniciar, dirigir y coordinar investigaciones y encuestas científicas;

— editar publicaciones periódicas y eventuales; labor de difusión mediante películas, discos, etc.;

— administrar los fondos provenientes de donaciones y aceptar las contribuciones de cualquier clase;

— cooperar con las oficinas de asuntos indígenas de los diferentes países;

— autorizar, de acuerdo con los respectivos gobiernos, la creación de institutos nacionales, filiales del I.I.I.;

— crear comisiones técnicas consultivas;

— promover y coordinar la preparación de investigadores científicos sobre cuestiones indígenas.[13]

El apoyo financiero al I.I.I. proviene de los siguientes estados: Argentina, Bolivia, Brasil, Colombia, Costa Rica, Chile, Ecuador, El Salvador, Estados Unidos, Guatemala, Honduras, México, Panamá, Paraguay, Perú, Venezuela. Algunas instituciones y particulares aportan también su contribución, entre otros la OEA (actualmente, el I.I.I. es uno de sus órganos) la UNESCO, el CREFAL (Centro de Educación fundamental para el Desarrollo de la Comunidad en América Latina), el IICA (Instituto Interamericano de Ciencias Agrícolas), la OIT, el Dr. George M. Foster, la Fundación Friedrich Ebert, la Fundación Ford, etcétera.

Los congresos indigenistas interamericanos tienen lugar de forma periódica, cada vez en una ciudad diferente de América. La existencia misma de estos congresos es la prueba de una toma de conciencia a nivel de gobierno. Pero no nos engañemos: las recomendaciones sólo son recomendaciones. A veces, incluso, las organizaciones privadas las toman en cuenta más que los organismos oficiales, y a veces, también a expensas de las poblaciones indias, como en el caso del Instituto Lingüístico de Verano (ILV)[14] que se apresuró a apli-

[13] Según David Vela, *op. cit.*, p. 118.

[14] Según un estudio de Nemesio Rodríguez y Carlos Tour, el ILV se creó poco después de la crisis de 1929 en Santa Ana, California, al mismo tiempo que los "Traductores de Biblia Wycliffe" (WBT). Estas instituciones dependían de la Iglesia Bautista del Sur y tenían como finalidad preparar jóvenes cristianos y enviarlos entre unas 2 000 tribus para

car las recomendaciones del Congreso de 1940 referentes a investigaciones lingüísticas, pero con fines totalmente distintos a los anunciados oficialmente...

En los últimos años se han establecido contactos con algunas organizaciones propiamente indias, como lo explica Gonzalo Rubio Orbe, ex director del Instituto Indigenista Interamericano: "Hemos cultivado relaciones con dirigentes aborígenes. Así procedimos... con el Consejo Mundial de Pueblos Indígenas, que tiene su sede en Canadá; con la naciente Confederación de Pueblos Indígenas de Centroamérica, México y Panamá y su Consejo Directivo; con las organizaciones y dirigentes de Argentina, Costa Rica, Ecuador, Guatemala, Perú, Venezuela y de otros países."[15]

Sabiendo que estas organizaciones plantean sus problemas en términos políticos, es muy posible que los indigenistas más críticos del integracionismo preconizado desde 1940 traten de alterar la orientación de los congresos. Esto podría explicar también el interés de la Organización de Estados Americanos por el I.I.I., a tal punto que éste es ahora un organismo dependiente de la OEA. Es una preocupación que se manifestaba desde hacía tiempo. En marzo de 1953, Alberto Lleras, secretario general de la OEA y Manuel Gamio, entonces direc-

enseñarles nociones de las Escrituras o, por lo menos, del Nuevo Testamento, en sus propias lenguas. A través de la evangelización y del estudio de las lenguas autóctonas, el ILV difunde modelos e ideología norteamericanos, forma personal local y favorece el desarrollo de una pequeña burguesía rural apta a desmovilizar los movimientos campesinos y a colaborar con las multinacionales (*Indianidad y descolonización: documentos de la Segunda Reunión de Barbados*, México, Nueva Imagen, Serie Interétnica, 1979).

[15] I.I.I., *Anuario Indigenista, Informe de Labores*, vol. XXXVII. México, diciembre de 1977, p. 177.

tor del I.I.I., firmaron un acuerdo por el cual el Instituto se comprometía a presentar al Consejo de la OEA un informe detallado de todas sus actividades: "El Instituto disfrutará de autonomía técnica y administrativa en la realización de sus objetivos... En todo caso, el Instituto deberá tomar en consideración las recomendaciones que le formule el Consejo de la Organización de conformidad con los términos de la Carta." [16] También, en 1953, el Instituto pasó a ser organismo especializado de la Organización de Estados Americanos.

El Consejo Permanente de la Secretaría General de la OEA formó un grupo de trabajo para estudiar la Resolución sobre la Acción Indigenista Interamericana, aprobada por la Asamblea General de la OEA, reunida en 1977 en Granada.[17] La formación de este grupo de trabajo aparece claramente como la consecuencia del desarrollo de la organización india a nivel continental y en el interior de cada país. La Organización de Estados Americanos no podía cerrar los ojos ante esta nueva situación: "Entre las posibles medidas para incrementar recursos para el organismo, se consideró como posibilidad un cambio en la parte administrativa, técnica y económica del I.I.I., en su calidad de organismo especializado, a fin de que pasara a depender del presupuesto, la política y administración centralizada de la OEA..." [18]

A partir de 1953, el indigenismo oficial latinoamericano depende orgánicamente de la OEA, en la cual la influencia de Estados Unidos sigue siendo preponderante...

[16] *Actas finales de los tres primeros Congresos Indigenistas Interamericano*, cit., p. 182.
[17] I.I.I., *América Indígena,* vol. XXXVIII, México, 1978.
[18] I.I.I., *Anuario Indigenista,* vol. XXXVII, diciembre de 1977.

3. *El VIII Congreso Indigenista Interamericano, 1980*

Este Congreso se celebró en Mérida (México), cuarenta años después del primero. Inaugurado por el presidente López Portillo, recibió la influencia de algunas orientaciones de la que podríamos llamar nueva política indigenista; surgida en México, representó un cambio frente a la antigua política practicada desde 1940 que insistía en la integración, asimilación y aculturación. Igual que en 1940, en este Congreso México se presentó como portador de nuevas ideas, nuevas para los representantes de gobiernos muy diferentes y, en general, poco receptivos frente a un discurso que preconiza la revalorización de las culturas autóctonas y, sobre todo, a la presencia de representantes indios en el Congreso, aunque son bien conocidas por algunos teóricos de la antropología y de los recientes movimientos indios.

El gran salto efectuado en el curso de este Congreso fue la crítica de la "integración indiscriminada de la población india" llevada a cabo por el indigenismo tradicional respondiendo "sistemáticamente a los intereses de los grupos en el poder", siguiendo "de cerca presiones y estrategias foráneas" y de los programas que con frecuencia se convierten en "mecanismos de desmovilización y en estrategias para controlar y reprimir el avance de los niveles de organización y de lucha alcanzados por los indígenas".[19]

Indudablemente, en sus conclusiones y recomendaciones este Congreso tomó en consideración el desarrollo de las luchas indias y sus reivindicaciones, lo que constituye, objetivamente, un gran

[19] VIII Congreso del Instituto Indigenista Interamericano, acta final.

avance. Se recomendó incluso la presencia obligatoria, y no facultativa como hasta entonces, de indios designados por sus propias organizaciones.

Otra recomendación importante: "Reconocer la capacidad de gestión de las organizaciones indígenas y su derecho a participar en la gestión pública y, sobre todo, en el diseño y ejecución de las acciones que a ellos les afecta. Esto supone respetar la independencia y asegurar la autonomía –respecto del aparato del Estado, de los grupos de poder y de cualquier otra forma de tutelaje– que estas organizaciones requieren para gestionar sus genuinos intereses. *De manera especial se recomienda contar con las organizaciones indígenas,* independientes y autónomas, para las acciones que se acuerden en este Congreso y las que se efectúen en la ejecución del Plan Quinquenal de Acción Indigenista Interamericano." [20]

Este discurso es totalmente nuevo en la política indigenista interamericana y su irradiación en toda América Latina, a semejanza del Congreso de 1940, no se llevará a cabo sin sobresaltos. No cabe duda de que tropezará con las políticas tradicionales practicadas por algunos países.

Por otra parte, y como respuesta a una idea que fermentaba desde hacía años entre las poblaciones indígenas, el Congreso recomendó la fundación en América de una Universidad Indígena con sede en Monimbó (Nicaragua).

De esta manera, el indigenismo interamericano se adapta a la nueva situación creada por el desarrollo de la organización india. Recoge la idea de "participación" expuesta en México. Se recomienda que los grupos indios "participen" en las actividades y decisiones que les sean inherentes, que

[20] *Ibid.* (Las cursivas son nuestras.)

"participen" activamente en el desarrollo. Pese a este discurso, inhabitual desde 1940, no hay que pensar que la recuperación de las reivindicaciones indias permita la verdadera liberación de los pueblos autóctonos. Al contrario, este discurso se adapta muy bien a los sistemas dominantes. En vez de dejar a los grupos indios en la oposición, convendrá integrarlos (según otro proceso de integración) mediante la "participación", palabra que, por lo demás, hay que reconocer que no deja de ser ambigua. Sin embargo, esas nuevas orientaciones constituyen un cambio total de política que procura tomar en consideración las reflexiones de los científicos sociales.

III. LA POLÍTICA INDIGENISTA EN ALGUNOS PAISES: BOLIVIA, PERÚ, MÉXICO, COLOMBIA, BRASIL

1. *Bolivia*

En 1970, la población india de Bolivia representaba el 63% de la población total.[21] El *Anuario Indigenista* de 1976 da un porcentaje del 80%.[22] Según un miembro del Movimiento Indio Tupak Katari (MITKA), el porcentaje es efectivamente el 80%.

A partir de la introducción de las leyes liberales en América Latina, la historia de la política indigenista boliviana se manifiesta en ataques sistemáticos a las comunidades. Una ley de 1868 decretaba que todas las tierras eran propiedad del estado y las comunidades indias tendrían que pagar fuertes impuestos para no perder el derecho

[21] Alejandro Marroquín, *op. cit.*, p. 243.

[22] Instituto Indigenista Interamericano, *Anuario Indigenista*, vol. XXXVI, México, diciembre de 1976, p. 7.

sobre las suyas. Esta ley provocó los levantamientos campesinos de 1869 y 1871.

Los levantamientos se repiten en 1895 y 1899 con la promulgación de las Leyes de Exvinculación, encaminadas a suprimir la propiedad comunal para instaurar la propiedad privada. De 1861 a 1940, los problemas agrarios fueron la causa de más de 2 000 revueltas campesinas.[23]

El fenómeno de privatización de las tierras llevó a los indios a reivindicar la propiedad colectiva. Su lucha obligó al gobierno a reconocer el estatuto legal de las comunidades, por lo que, según la Constitución de 1938, artículo 165: "El estado reconoce y garantiza la existencia legal de las comunidades." [24]

Como consecuencia del I Congreso Nacional Indígena de 1945, el gobierno decretó la abolición de servicios personales no remunerados y la obligación por parte de los propietarios de abrir escuelas en las grandes haciendas. El Decreto 319, que ratificaba la abolición del "pongueaje", no tuvo casi aplicación.

El Instituto Indigenista Boliviano se creó en 1941, pero nunca fue autónomo y es por lo que Alejandro Marroquín dirá que el indigenismo boliviano carece de un organismo especializado y autónomo.

En 1942 y en 1943 tuvieron lugar en Sucre dos grandes congresos de quechuas, que fueron preludio del I Congreso Nacional Indígena de La Paz en 1945, inaugurado por el presidente Villarroel. La celebración de estas manifestaciones prueba la preocupación del gobierno por tratar de canalizar

[23] Gerrit Huizer, *El potencial revolucionario del campesino en América Latina,* México, Siglo XXI, 1973, pp. 14-15.

[24] Roberto Pérez Patón, *La reforma agraria en Bolivia*, La Paz, Ed. Fénix, 1961, p. 30.

los movimientos campesinos que desembocarían en la revolución de abril de 1952.

Por su parte, el Movimiento Nacional Revolucionario (MNR, que aparece como partido en 1941) centraba en el indio su programa de reivindicaciones. El líder del movimiento, el economista Paz Estenssoro, propugnaba un nacionalismo populista mezclado con ideas de revolución social.

El movimiento revolucionario que se desencadena el 9 de abril de 1952, lleva al poder a Paz Estenssoro. El 2 de agosto de 1953, el nuevo presidente firma el Decreto Supremo 03301 que ratifica la creación de una Comisión de Reforma Agraria; ésta prevé la "incorporación de las tribus salvajes", competencia del Ministerio de Asuntos Campesinos.

"Los núcleos de *recuperación* indígena son los únicos y exclusivos organismos encargados de la educación y *protección* de los indios de origen selvícola. . ." [25]

La reforma agraria al servicio del nacionalismo boliviano, tiene como finalidad incorporar la población indígena a la vida nacional.[26] Se quiere integrar al indio en la clase campesina para, de alguna forma, "bolivianizarle", así como México quiere "mexicanizar" al indio.

Convendría, pues: "Restituir a las comunidades indígenas las tierras que les fueron usurpadas y cooperar en la modernización de sus culturas, respetando y aprovechando, *en lo posible,* sus tradiciones colectivistas." [27]

La reforma agraria de 1953 reconoce a las comunidades indígenas la propiedad de la tierra; sus

[25] Walter del Castillo Avendaño, *Compilación legal de la reforma agraria en Bolivia*, La Paz, 1955.
[26] *Ibid.* p. 46.
[27] *Loc. cit.* (Las cursivas son nuestras.)

miembros no estarán obligados a realizar servicio personal ni a pagar contribución.[28] El artículo 123, capítulo I, título IX sobre organizaciones campesinas reconoce a la comunidad indígena el derecho a regir el orden interno según sus propias instituciones.

La Ley Boliviana de Reforma Agraria reconoce pues jurídicamente a las comunidades, y establece la diferenciación entre:

— la comunidad de hacienda: unas 50 familias sometidas a la dependencia del latifundio antes de la reforma agraria;

— la comunidad indígena, compuesta por familias propietarias de tierras en común;

— la comunidad campesina agrupada, compuesta por los habitantes de varias fincas medianas y pequeñas que se asocian voluntariamente para obtener el reconocimiento de su personería jurídica.

Esta Ley de Reforma Agraria pone el acento de modo especial sobre la fragmentación de los latifundios en el altiplano y en los valles y sobre el Plan de Colonización de las bajas tierras vírgenes. A pesar del reconocimiento legal de las comunidades indias, hay que admitir que este aspecto del problema fue minimizado. El efecto más negativo de la reforma consiste en la excesiva parcelación de las tierras, lo que provocó un aumento del número de minifundios y en consecuencia de microfundios, nacidos de subdivisiones hereditarias, como resultado del desarrollo de la privatización de la tierra.

Con todo, supuso también mejoras en el nivel de vida de los campesinos. Por otra parte, la "microfundización", propia de una reforma agraria

[28] *Ibid.* p. 63, arts. 57 y 60, capítulo XI: "De las tierras de la comunidad indígena".

de tipo individualista y cuyos efectos se resienten actualmente en Bolivia, no dejó de suscitar levantamientos campesinos y, sobre todo, indios, puesto que la mayor parte de la población poseía y posee una antigua tradición comunera.

Por lo tanto, si para la época de su promulgación la reforma resultaba radical por haber suprimido los latifundios y los servicios personales o compensatorios, la instauración de un régimen de propiedad parcelaria dejó paso a nuevos problemas. En el caso específico de los indios, la reforma tendía a transformarlos en pequeños propietarios y, en consecuencia, ésta queda perfectamente enmarcada dentro de la política de integración y de protección propugnada por los Congresos Indigenistas Interamericanos. Se habla siempre de "incorporación de las tribus", de "recuperación indígena", de "protección a los indios de origen selvícola". Todo ello, en definitiva, para lograr que estos pueblos, de tradición comunitaria, se inserten en el sistema de propiedad individual de la tierra.

Por otra parte, como observa justamente Rafael Menjívar,[29] la política de parcelación obstaculiza toda verdadera política de desarrollo agrícola. A pesar de la buena intención de sus promotores y de su aspecto radical, la reforma agraria de 1953 ignoró la realidad boliviana. Sin embargo, la revolución de 1952 superó grandes etapas como, por ejemplo, el reconocimiento del sufragio universal que permite a los analfabetos participar de alguna forma en la vida política del país.

En 1963 se creó la Dirección General de las Comunidades Indígenas, con vistas a la prestación

[29] Rafael Menjívar, *Reforma agraria: Guatemala, Bolivia, Cuba*, San Salvador, Edit. Universitaria de El Salvador, 1969, p. 263.

de diferentes servicios: introducción de técnicas modernas, construcción de escuelas y viviendas, promoción de diferentes formas de cooperativismo, gestión de los trámites para conseguir la personería jurídica de las comunidades, etcétera...

La Constitución de 1967 garantiza la propiedad comunal, cooperativa y privada de la tierra (artículo 167).

A partir de la revolución de 1952, las autoridades bolivianas parecen haber asimilado el problema del indio al problema de la tierra como medio de producción. El III Congreso Indigenista Interamericano, que tuvo lugar en La Paz en 1954, estudió esencialmente el problema de la entrega de tierras a las comunidades.

Por otra parte, la reforma agraria, que se autocalificaba de antilatifundista, no tocó ni las grandes propiedades ni las modernas empresas agrícolas de la región oriental del país.

Hay que reconocer también que, aun sin haber sido concebida para los indios, la reforma agraria permitió una toma de conciencia social y política mucho más fuerte, pues al propagar la minifundización, se reducían cada vez más los medios de subsistencia de las comunidades.

2. *Perú*

Alejandro Marroquín da la cifra de un 46.6% de población india en 1961.[30] La concentración más fuerte se localiza en los departamentos de Ancash, Huancavelica, Ayacucho, Cuzco y Puno.

A raíz del decreto de Bolívar de 1824, muchos indios de los Andes emigraron hacia la selva. En la zona andina y en la costa fue consolidándose el

[30] Alejandro Marroquín, *op. cit.*, p. 183.

latifundio, mientras que en la selva se iniciaba un proceso de "destribalización". Yaranga Valderrama habla incluso de neogenocidio y etnocidio en la selva peruana, consecuencia de la "mística de conquista de la selva" mediante la implantación de haciendas para el cultivo del café que tomaban a su servicio mano de obra local contribuyendo a desintegrar los grupos indios.[31]

El "boom del caucho" también tuvo consecuencias dramáticas: entre 1900 y 1912, la producción de 4 000 toneladas de caucho costó la vida de 30 000 indios en la región de Putumayo.[32]

La expansión del capitalismo en la selva contribuyó de forma violenta a integrar las poblaciones autóctonas al sistema dominante, proletarizándolas. En la actualidad, la selva peruana ofrece el espejismo del petróleo y algunos valles ya están afectados por la desertificación.

Durante el gobierno de Leguía, la Constitución de 1920 otorga existencia legal a las comunidades indias. En adelante, sus tierras serán inalienables. La Constitución de 1933 refuerza la protección a los indios.

En 1946, bajo la presidencia de Bustamante, se fundó el Instituto Indigenista Peruano. Ya en 1951, este organismo pondrá en marcha proyectos de desarrollo de la comunidad. En 1966, bajo la presidencia de Belaúnde Terry, perdió su autonomía debido a la escasez de medios y se convirtió en una dependencia del Ministerio del Trabajo y Asuntos Indígenas.

[31] Yaranga Abdón Valderrama, *Néogénocide et ethnocide dans la forêt péruvienne*, París VIII, Section de Langues et de Cultures Amérindiennes, París, 1978, 9 p.

[32] Instituto Indigenista Interamericano, *América Indígena*, vol. XXXVIII, México, 1978, p. 133, artículo de Héctor Martínez.

Por resolución suprema del 17 de diciembre de 1959, se crea la Comisión Nacional del Plan de Integración de la Población Aborigen, cuyos objetivos principales son:

— ayuda a los pobladores indígenas para obtepoblaciones aborígenes a la vida nacional;

— ayuda a los pobladores indígenas para obtener cambios en sus diferentes patrones de vida, con la consiguiente elevación de sus niveles de vida;

— coordinación con los organismos nacionales de fomento susceptibles de realizar trabajos en el medio indígena y con las entidades internacionales de asistencia técnica y financiera.

A partir de ahora, el Perú gozaría de la asistencia técnica de la Acción Andina. Expertos de la OIT, de la UNESCO y de la OMS prestarían su ayuda a los programas de desarrollo. El 25 de enero de 1962, Estados Unidos y el Perú firmaron un acuerdo por el cual se permitía la entrada en el país de voluntarios del Cuerpo de Paz. Por otra parte, el Programa de Integración de la Población Aborigen recibe ayudas de la Universidad Cornell, Estados Unidos, así como la colaboración del Comité Interamericano del Desarrollo Agrícola (CIDA), de la UNICEF, etcétera.

En 1963, con Belaúnde Terry, la creación de la "Cooperación Popular" tenía como objetivo la participación de las comunidades en su propio desarrollo, especialmente mediante el trabajo voluntario y gratuito de los comuneros. Gracias a estas "faenas", los indios construyeron escuelas, dispensarios, etcétera.

El Plan Nacional de Integración de la Población Aborigen, publicado en 1965 por el Ministerio del Trabajo y Asuntos Indígenas, constituye un ejemplo típico de la política indigenista integracionista: este plan propone un trabajo de "promoción" a realizar conociendo la "realidad indígena", introduciéndose en ella y acercándola a la "cultura nacional". Según este plan, el problema indígena reside en el hecho de que, por un lado, existen una sociedad y una cultura indígenas y por el otro, una sociedad y una cultura nacionales.[33] Al ser el Perú una "nacionalidad en proceso", "existe un *continuum* que va del horizonte indígena al nacional". "El Perú es una nación en proceso de aculturación" y, "en la actualidad, se encuentran numerosos núcleos de población no integrados a la cultura y sociedad nacionales. Se trata simplemente de grupos marginales que constituyen aproximadamente el 50% de la población".[34] Estos grupos "marginales", que representan *la mitad* de la población total, tienen que integrarse a la otra cultura y a la otra sociedad, las de la nación dominante. "Hay dos sociedades y dos culturas enfrentadas",[35] "la cultura nacional es fundamentalmente urbana, y la indígena es rural".[36] Este dualismo lleva a considerar como necesaria la "cholificación" que "no es otra cosa que la aculturación individual o grupal, es decir, el movimiento *espontáneo* de la cultura indígena hacia *la cultura nacional*".[37] Se parte pues de la base que la "nacionalidad" peruana existe realmente y que, naturalmente, es urbana...

En 1968, el gobierno militar de Velasco Alvarado tomó el poder mediante golpe de estado, después de un periodo de disturbios, ocupación de latifundios para recuperar la tierra y focos de gue-

[33] Ministerio de Trabajo y Asuntos Indígenas, *Plan Nacional de Integración de la Población Aborigen,* Informe, Lima, p. 51.

[34] *Ibid.,* p. 5.

[35] *Loc. cit.*

[36] *Ibid.,* p. 7.

[37] *Loc. cit.* (Las cursivas son nuestras.)

rrilla inspirados en la experiencia revolucionaria de Cuba.

Los grandes propietarios se oponían al reconocimiento legal de las comunidades.

El 25 de junio de 1969 se proclama la Ley de Reforma Agraria 17 716 por la cual: "Un reglamento especial regula los procesos de reconocimiento y dotación de tierras de dichas comunidades."

Los artículos 115 a 126 se refieren a las "Comunidades Campesinas": "Por los efectos del presente Decreto-Ley. . . las Comunidades de Indígenas se denominarán 'Comunidades Campesinas' " (Artículo 115, oficializa la desaparición del indio en cuanto indio, reconociendo únicamente al campesino).

Artículo 117: "El estado estimulará la tecnificación de las comunidades campesinas y su organización en cooperativas. Para este fin, la Dirección General de Integración de la Población Indígena del Ministerio del Trabajo pasará como Dirección de Comunidades Campesinas."

Artículo 124: "Un estatuto especial regirá la organización y funcionamiento de las comunidades campesinas normando su régimen económico, forma de gobierno, servicios comunes y demás instituciones que le sean propias." [38]

Aunque el artículo 126 contempla la adjudicación de tierras a las comunidades en los casos en que éstas no fueran suficientes para cubrir sus necesidades, en la mayoría de los casos se intenta integrar a las comunidades en las Cooperativas de Producción (CAPS) y en las Sociedades Agrícolas de Interés Social (SAIS, es decir, a un sistema cooperativista controlado por el estado. Por ejem-

[38] *Ley de Reforma Agraria*, Decreto-Ley 17716, Lima, Ed. Tiempos Modernos, 2a. ed., 1974.

plo: la SAIS Tupac Amaru cuenta con 17 socios, de los cuales 16 son "comunidades campesinas".

Con la ayuda del SINAMOS (Sistema Nacional de Movilización Social), la política de integración de las comunidades mediante su inserción en las cooperativas, es paralela al empeoramiento del problema de los campesinos sin tierra. Según Claude Collin-Delavaud: "Por ello, el 88% [de campesinos sin tierra]... y todos los minifundistas y comuneros indígenas no han dejado de reivindicar la tierra, la de las pocas haciendas que han quedado intactas y, sobre todo, la de las cooperativas, creando un conflicto grave entre la Confederación Nacional Agraria y la CCP... compuesta por campesinos sin tierra o comuneros que invaden haciendas y cooperativas." [39]

Es cierto que la creación de cooperativas afectó el espacio vital de las comunidades circundantes y sus miembros quedaron marginados con respecto a los obreros agrícolas. Por otra parte, en el Perú la reciente multiplicación de las ocupaciones de tierras responde, en primer lugar, al hecho de que los indios quieren recuperar las antiguas tierras de sus comunidades que les fueron arrebatadas por los grandes terratenientes y que después de la reforma agraria quedaron englobadas dentro de la cooperativas. Es decir, si antes el indio luchaba contra los terratenientes, ahora su lucha se dirige contra el estado.

En cuanto a las comunidades indias llamadas "campesinas" que se integraron a las cooperativas en calidad de socios, a menudo les resulta difícil adaptarse a un ritmo de trabajo diferente y a unos

[39] Claude Collin-Delavaud, "L'évolution du régime militaire péruvien (1975-1977)", *N. D. La Documentation Française*, Problèmes d'Amérique Latine, núm. 4457, 24 de febrero de 1978, p. 20.

criterios de rentabilidad que les son desconocidos. El estado incentivó el aspecto productivista de las cooperativas, dejando de lado sus aspectos sociales[40] y para los indios es muy difícil atribuir a la tierra un papel meramente económico. La idea de las cooperativas en la sierra peruana es iniciativa de los no indios y no toma en cuenta la opinión de los propios indios. Los tecnócratas de la reforma agraria, convencidos de actuar correctamente, han pecado de ignorancia frente al problema indio, creando nuevos problemas en la sierra.

Mediante su integración a las cooperativas agrícolas, se pretende conseguir que los indios participen en el "proyecto nacional" peruano. El nacionalismo del gobierno militar peruano no se apoya en la afirmación de los valores autóctonos, como en el caso del nacionalismo mexicano, sino más bien en su desconocimiento. En el Perú, la política indigenista se caracteriza por su integracionismo total, excepto en el caso de las comunidades selvícolas; éstas, mucho menos numerosas que las de la sierra, tienen la ventaja de haber sido tomadas en consideración por la "Ley de Comunidades Nativas y de Promoción Agropecuaria de Regiones de Selva y Ceja de Selva"; por Decreto-Ley 20653: "El estado reconoce la existencia legal y la personalidad jurídica de las comunidades nativas" (art. 6). Su propiedad territorial es inalienable, imprescindible e inembargable (art. 11).[41]

Según Stefano Varese, esta ley hace que los derechos de los indios de la selva sean compatibles con las necesidades generales de la región, mediante

[40] Claude Auroi, *Contradictions et conflits dans la réforme agraire péruvienne: le cas de la SAIS Río Grande (Puno)*, Institut Universitaire d'Études du Développement, Notes et Travaux, núm. 7, Ginebra, 1980, 75 pp.

[41] *Ley de Reforma Agraria*, cit.

el apoyo de sus organizaciones locales o comunitarias, y de las instituciones representativas ante el estado.[42]

Por otra parte, en el plano lingüístico, por Decreto-Ley 21 156 del 27 de mayo de 1975 quedaba oficializado el quechua.

La política del gobierno militar de Velasco Alvarado se revela contradictoria frente al problema indio: por un lado, engloba las comunidades indias en el término general de "comunidades campesinas", lo que equivale a ignorar su indianidad y, por otro, oficializa el uso del quechua, idioma hablado por los autóctonos de la sierra, y utiliza, según la tradición populista, toda una simbología inspirada en el pasado indio: "Plan Inca", "Plan de Gobierno Tupac Amaru", "SAIS Tupac Amaru"... Las referencias a la historia india se aceptan en la medida en que contribuyen a alimentar el nacionalismo, pero los ojos quedan cerrados ante la realidad actual. Al no querer reconocer su dimensión étnica (exceptuado el caso de la selva) el velasquismo, y ésta es una de sus contradicciones, esquematiza el problema campesino en el Perú. Por otra parte, no podemos dejar de reconocer sus méritos, entre otros, la desaparición de la oligarquía terrateniente. Los acontecimientos recientes sin embargo (la ocupación de tierras, por ejemplo), demuestran que el problema agrario no ha sido solucionado definitivamente y que todavía las comunidades indias son los parientes pobres de la reforma agraria. La consecuencia es un éxodo masivo hacia la capital, triste testimonio de estructuras agrarias que no se adaptan a los verdaderos problemas de la sierra.

[42] Stefano Varese, *The forest indians in the present political situation of Peru*, Copenhague, IWGIA Document, 1972.

Si la política indigenista de Velasco Alvarado fue progresista para las poblaciones indias de la Amazonia peruana, en nuestra opinión, no dio importancia a los problemas de la sierra, limitándose a negar la presencia india en los Andes, por el hecho mismo de asimilarla a la clase campesina.

El D. L. 20 653 quedó anulado el 9 de mayo de 1978 con la promulgación del D. L. 22 175 titulado "Ley de Comunidades Nativas y de Desarrollo Agrario de la Selva y de la Ceja de Selva". Al derogar la Ley de Comunidades Nativas creada por Velasco, el gobierno de Morales Bermúdez obedece a una política muy concreta de expansión capitalista en la Amazonia peruana, que acata escrupulosamente las directrices del Pacto Amazónico firmado en Brasilia el 3 de julio de 1978 entre Bolivia, Brasil, Colombia, Ecuador, Guyana, Perú y Venezuela con vistas al "desarrollo integral" de la Amazonia, en particular mediante la construcción de carreteras, desarrollo de la agricultura y explotación de recursos naturales. Ya en los primeros renglones de la Ley de Comunidades Nativas de 1978 podemos leer: "Es conveniente perfeccionar este dispositivo legal incorporando en él criterios que permitan optimizar la rentabilidad social, económica y ecológica del uso de la tierra y que determinen la expansión de la frontera agraria en la Selva y Ceja de Selva."

Más claro imposible: hay que capitalizar la Amazonia, rentabilizarla y para conseguirlo, hay que favorecer la colonización. Los acontecimientos recientes, en particular los casos presentados ante el IV Tribunal Russel para "Los Derechos de los Pueblos Indígenas de las Américas" relativos al Perú (entre ellos, el caso de los campas) demuestran que esta ley se aplica en detrimento de las comunidades nativas que sufren la invasión de colonos y de empresas que, con el apoyo del gobierno, explotan los recursos de la región (madería, industria hidroeléctrica, construcción de carreteras), burlando los derechos territoriales de las poblaciones autóctonas.

El capítulo VII del título III del D. L. 22 175, "De las Adjudicaciones Especiales", que no existía en el D. L. anterior, deja pensar que será interpretado a favor de las inversiones nacionales y extranjeras:

Artículo 70: "Excepcionalmente, cuando se trate de proyectos agropecuarios o agroindustriales de prioridad nacional, podrán [las adjudicaciones] otorgarse en propiedad con aptitud para el cultivo y/o la ganadería en las extensiones requeridas para el desarrollo de tales proyectos, a empresas del estado o empresas con participación de éste...

"...La participación del capital extranjero en las empresas a que se refiere el presente artículo estará sujeta a las disposiciones sobre tratamiento al capital extranjero".

Subrayamos el empleo del concepto "prioridad nacional"; está claro que se trata de prioridades de la "nación" dominante.

En 1979, durante el mandato de Morales Bermúdez, la Asamblea Constituyente anuló el decreto de 1975 por el que se oficializaba el quechua. Con esto, el colonialismo cultural recobró todo su vigor, si es que en algún momento lo había perdido.

La política indigenista de Belaúnde Terry, presidente en funciones desde julio de 1980 (durante su campaña electoral, según una estrategia populista bien conocida, utilizó un discurso teñido de indigenismo en las regiones de fuerte concentración india) es la continuación lógica de la política del gobierno anterior, pero con una agravante:

ahora, el capital extranjero tiene las puertas abiertas de par en par.

La colonización se acentúa en las regiones amazónicas para llevar a cabo los grandes proyectos gubernamentales de desarrollo, de carácter prioritario en la Amazonia y en los Andes, con ayuda del sector privado (nacional y extranjero).

Según declaraciones del jefe de gobierno, Manuel Ulloa, "hay que hacer todo lo posible para acelerar la integración de los millones de peruanos del interior".[43] Un análisis de la política indigenista de Belaúnde Terry resulta prematura, pero podemos esbozar ya sus directrices:

— integración de las poblaciones indias, andinas y amazónicas, al estado-nación peruano;

— para conseguirlo: "modernización" de las zonas rurales, gracias a una inyección masiva de capitales, especialmente extranjeros;

— incremento de la colonización para acelerar la ocupación y el despojo de los territorios indios, fenómeno que ya se puede observar, tanto más cuanto que muchas comunidades indias aún no se han beneficiado de la adjudicación de sus tierras.

3. *México*

Según los censos internacionales, en 1970[44] la población india de México representaba el 7.8% de la población total, dividida en 59 grandes grupos lingüísticos.[45]

En el siglo XIX los indios vivían en condiciones

[43] *Le Monde,* 27 de mayo de 1981.

[44] Alejandro Marroquín, *op. cit.,* p. 94.

[45] Henri Favre, "L'indigénisme méxicain. Naissance, développement, crise et renouveau", *N. D., La Documentation Française,* Problèmes d'Amérique Latine, núms. 4339-4340, p. 71.

de esclavitud, pues el propietario fijaba su salario y también les vendía alimentos y ropa al precio que él mismo imponía.[46]

Al igual que en otros países de América Latina, en México el liberalismo pretendió solucionar el problema agrario instaurando la propiedad privada. Las Leyes de Reforma y la Constitución de 1857 aplicaban la doctrina liberal y los resultados fueron contrarios a lo que se pretendía. En efecto, el gobierno liberal de Juárez, mediante la Ley Lerdo de 1856, decretó la nacionalización de los bienes de la Iglesia y la puesta en venta de las tierras de las comunidades indias, lo que provocó su concentración en manos de los grandes propietarios quienes pudieron comprarlas a bajo precio, sobre todo las tierras de las comunidades.

Este despojo legal de las comunidades fue la causa de innumerables levantamientos, como por ejemplo la "Guerra de Castas" en Yucatán.

La ley de colonización de 1875 marcará la era del "porfiriato". Era la época del incipiente nacionalismo mexicano y para conseguir la unidad nacional, el gobierno juzgó oportuno atraer a colonos europeos que introdujesen nuevas técnicas, reduciendo al mismo tiempo el peso específico de la población india y, por lo tanto, "blanquear" el país mediante un proceso de mestizaje que ya se iba vislumbrando como única solución al problema indio.

Por otra parte, las expoliaciones sistemáticas y la oficialización de la desintegración de las comunidades indias, irán alimentando un descontento creciente que desembocará finalmente en la revolución de 1910.

[46] Jesús Silva Herzog, *La Révolution mexicaine,* París, Petite Collection Maspero, 1974, p. 14.

La participación de los indios en esta revolución agraria provocará un cambio radical en el indigenismo mexicano, pues el papel que desempeñó el indio en la lucha revolucionaria puso de manifiesto los problemas económicos de la población autóctona, especialmente el problema de la tierra, consecuencia del proceso de privatización llevado a cabo durante el siglo XIX. El lema de los zapatistas, "Tierra y Libertad", expresa perfectamente cuál era la mayor preocupación de indios y campesinos.

En 1921, a raíz de la revolución, se creó el Departamento de Educación y de Cultura para la Raza Indígena y en 1925 el Departamento de Escuelas Rurales de Incorporación Cultural Indígena. En 1936, Cárdenas fundó el Departamento de Acción Social, Cultural y de Protección Indígena. En 1937, se creó un Departamento de Educación Indígena, dependiente de la Secretaría de Educación.

El mandato presidencial de Lázaro Cárdenas (1934-1940) ocupa un lugar preponderante en la historia de la política indigenista. En 1936, por ejemplo, inspectores laborales enviados por el gobierno, estudian las condiciones de trabajo en las fincas. En 1940, en el discurso inaugural del I Congreso Indigenista Interamericano de Pátzcuaro, Cárdenas declaró que la población india constituía un "factor de progreso" y, por lo tanto, había que integrarla a la nación mexicana, mexicanizándola. Por otra parte, el indio representó uno de los temas favoritos del régimen que siguió a la revolución y, gracias a Cárdenas, adquirió una nueva dignidad, especialmente con el nuevo impulso de la reforma agraria y la restauración de los "ejidos" en 1936.[47] Con la creación del Banco Ejidal, los

[47] *Ejido:* propiedad colectiva que designa tanto las tierras

ejidatarios pueden obtener los préstamos necesarios al desarrollo de los ejidos. En la época de consolidación de la revolución, Cárdenas aparece pues como el gran restaurador de la propiedad colectiva de los indios.

Desgraciadamente, el decidido apoyo que Cárdenas prestó a los ejidos, fue desapareciendo con el fin de su mandato en 1941.[48]

El Congreso de Pátzcuaro, convocado en 1940 por iniciativa de México, constituye un éxito para el presidente Cárdenas, pues logró que se reconociese la continentalidad del problema, aunque para solucionarlo se acatasen las tesis integracionistas, según las cuales el indio tenía que integrarse totalmente a la nación mexicana. En este sentido, el Congreso de Pátzcuaro se inscribe en el marco del nacionalismo mexicano.

Con la convocatoria del Congreso de Pátzcuaro, Cárdenas asumió un papel histórico en la corriente indigenista continental. Los gobiernos tomaron conciencia de la cuestión india (aunque esto no implica necesariamente que supieran resolverla), pero oficializando la política integracionista del indigenismo, suprimían las nuevas posibilidades que éste hubiera podido ofrecer en cuanto a un verdadero cambio de sociedad.

como el grupo rural; bosques y pastos son comunitarios. En la mayoría de los casos, se divide en parcelas hereditarias, pero no alienables, cultivadas individualmente. Existen también ejidos colectivos explotados en común, especialmente en las regiones de La Laguna y en Yucatán. Su producción es específica según las regiones: tabaco en Veracruz, henequén en Yucatán, explotación maderera en los estados de Durango y Chihuahua.

[48] FAO, *Desarrollo de las estructuras agrarias en América Latina*, informe de la consulta de expertos celebrada en Berlín Tegel, 19 de noviembre-1 de diciembre de 1973. ONU para la agricultura y la alimentación (Fundación Alemana para el Desarrollo Internacional), p. 14.

En esa época, Cárdenas no podía ir más lejos: los no indios veían como única solución la integración y la aculturación. Ante todo, Cárdenas era mexicano y defendía el nacionalismo de su país; esto, sin embargo, no le impidió aportar mejoras tangibles en las condiciones de vida de los indios y restaurar su organización comunitaria.

En 1948 se crea el Instituto Nacional Indigenista (INI), organismo de investigación, consulta, ejecución e información. Comprende cinco departamentos especializados: educación, sanidad, agricultura, comunicaciones y asuntos jurídicos. Su finalidad principal es investigar sobre los problemas de las comunidades, tratando de resolverlos mediante programas de desarrollo socioeconómico. Para lograr una mayor eficacia, el INI dispone de centros coordinadores situados en zonas de fuerte concentración india. Estos centros mantienen contactos con entidades, instituciones y personas públicas o privadas, que se interesan por la acción indigenista.

El INI funda escuelas en las que los alumnos aprenden a leer y a escribir en su lengua materna y después en castellano, con maestros bilingües. En las comunidades, los promotores culturales se encargan de llevar a la práctica los programas del Centro Coordinador. Después de la apertura, en 1951, del primer Centro en San Cristóbal de las Casas (Chiapas), el INI multiplicó sus actividades y en los años siguientes se inauguraron otros Centros Coordinadores, pasando de 5 a 10 bajo la presidencia de López Mateos (1958-1964). En 1964 funcionaban 237 escuelas fundadas por el INI, con 15 000 alumnos atendidos por 350 maestros bilingües.[49]

[49] Henri Favre, *L'indigénisme mexicain*, cit., p. 78.

Los maestros se forman en la escuela normal, estudiando el método bilingüe. De hecho, la enseñanza bilingüe es un término pretencioso, puesto que este tipo de enseñanza se imparte sobre todo en el primer curso, en los cursos siguientes se utiliza cada vez menos y, en definitiva, se limita a la escuela primaria donde el bilingüismo, esencialmente, sirve para introducir el estudio del español, favoreciendo la "castellanización". Como lo explica Stefano Varese, los maestros cumplen, de hecho, la función de "castellanizadores" y el idioma nativo se utiliza, esencialmente, para explicar lo que no se comprende en castellano. Además, no existe sistema simplificado y unificado para el aprendizaje de ambos alfabetos. La educación que reciben las distintas etnias peca de etnocentrismo y de urbanocentrismo, además: "No se puede hablar en el caso del país y de Oaxaca de un sistema orgánico de educación bilingüe. Es decir, una educación que haga uso sistemático y prolongado hasta los niveles superiores de las lenguas locales en tanto vehículos legítimos de la ciencia y cultura universal, nacional y local." [50]

El INI distribuye semillas mejoradas, construye carreteras, lanza campañas de sanidad, etc. Desgraciadamente, Gustavo Díaz Ordaz, elegido presidente en 1964, recortó su presupuesto.

Con la llegada a la presidencia de Luis Echeverría, el indigenismo mexicano tomó nuevo impulso. El presupuesto del INI se incrementó, así como la subvención asignada a la Secretaría de Educación para la formación de los promotores culturales. Entre 1971 y 1975, el número de escuelas pasa de

[50] Stefano Varese, *Procesos educativos y diversidad étnica: el caso del estado de Oaxaca,* París, UNESCO, Unidad de la Educación Permanente, 1980, p. 18.

1 601 a 2 221.[51] Por otra parte, los almacenes de la CONASUPO (Compañía Nacional de Subsistencias Populares) abren sus puertas en las regiones indias para la venta de productos de consumo a precios controlados.

A partir del mandato de Echeverría, asistimos a la formación masiva de promotores indios, a la multiplicación de hospitales en zonas rurales para atender urgencias; sus servicios son gratuitos, pero los medicamentos escasean. En la medida de lo posible, los promotores sanitarios son indios de la región. Por otra parte y respondiendo a un afán de descentralización, pero también de control, se abren sucursales de la Secretaría de la Reforma Agraria (SRA) en las zonas más apartadas del país.

A raíz del Congreso Indio de Chiapas, celebrado en 1974 en San Cristóbal, la política indigenista experimentó un gran cambio, consecuencia del desarrollo de la organización india (hablaremos más detalladamente de este Congreso en la segunda parte de este estudio). La CNC (Confederación Nacional Campesina) sindicato campesino oficial, organiza también, bajo los auspicios del gobierno, el I Congreso Nacional de Pueblos Indígenas que tuvo lugar en Pátzcuaro, un lugar ya simbólico, del 7 al 9 de octubre de 1975. En realidad, este congreso venía a ser la respuesta oficial al celebrado en el estado de Chiapas el año anterior. En él volvemos a encontrar la tradición mexicana de canalización de los movimientos populares: control del movimiento obrero, control del movimiento campesino y ahora, control del movimiento indio. Para el gobierno, este congreso implicaba la posibilidad de hacer abortar la organización independiente de los indios y el resultado

[51] Henri Favre, *L'indigénisme mexicain,* cit., pp. 80-81.

fue la creación, en 1975, del CNPI (Consejo Nacional de Pueblos Indígenas), con sede en México, D. F. Desde 1978, el CNPI publica un órgano de difusión, *De Pie y en Lucha.*

Al mismo tiempo que el CNPI, se crean los 56 consejos supremos, uno para cada etnia. Organizados verticalmente, estos consejos supremos no encajan en la estructura de poder de las autoridades tradicionales y, en la mayoría de los casos, sólo se trata de un título honorífico. En efecto, pocos son los consejos supremos que pueden presumir de tener base real entre los indios. La creación de esta estructura responde en primer lugar a la necesidad por parte del gobierno de asegurarse una masa electoral y a un deseo de control político.

En el plano de la educación, la ANPIBAC (Alianza Nacional de Profesionales Indígenas Bilingües) es, desde 1977, una asociación civil creada desde arriba. Su primera Asamblea Nacional tuvo lugar en mayo de 1980.

En el segundo capítulo de este ensayo estudiaremos con más detenimiento este tipo de organizaciones indias en México, pues aunque creadas verticalmente, ofrecen a los indios un margen de acción digno de ser tomado en cuenta. En efecto, una de las características del sistema político mexicano es la de favorecer la crítica en el seno mismo del sistema, de tal forma que aun habiendo sido creadas por instancias oficiales, estas organizaciones no son implícitamente incondicionales al gobierno. Al contrario, tratan de adquirir una independencia cada vez más marcada. No obstante, gran parte de la población india les es bastante reacia, prefiriendo organizarse en agrupaciones étnicas o étnico-campesinas espontáneas e independientes del gobierno. También nos ocuparemos de este tipo de agrupaciones en el segundo capítulo de este trabajo.

La política indigenista del sexenio de Luis Echeverría se caracteriza por el "diálogo" entre el gobierno y los indios, diálogo que naturalmente sigue fiel al integracionismo, pero bajo formas distintas y en los límites otorgados a las organizaciones. Aun sin poder sobrepasar ciertos límites, la evolución del indigenismo mexicano demuestra que el gobierno de Echeverría supone la apertura hacia una nueva etapa, comparable a la marcada por el gobierno de Cárdenas. También demuestra que entre los científicos sociales se respiran aires innovadores que ponen en tela de juicio el concepto tradicional del indigenismo. En nuestra opinión, Guillermo Bonfil Batalla es uno de los principales portavoces de esta nueva orientación: la integración nacional unilateral, es decir, la integración al sistema dominante, está seriamente en entredicho.

En 1968, la Escuela Nacional de Antropología e Historia denuncia por primera vez el colonialismo de la antropología.[52]

Aun siguiendo la tradición populista mexicana, el indigenismo de Echeverría constituye la respuesta oficial al surgimiento de la organización india y en lugar de oponérsele, el gobierno trata de recuperarla para convertirla en una emanación suya.

La nueva corriente oficial durante el mandato de López Portillo será el "indigenismo de participación". Ya en 1977, el nuevo director del INI, Ignacio Ovalle Fernández, hacía públicas las nuevas

[52] Andrés Medina, *Tres puntos de referencia en el indigenismo mexicano contemporáneo,* México, UNAM, Instituto de Investigaciones Antropológicas, diciembre de 1973, pp. 19-29.

orientaciones: las "Bases para la Acción 1977-1982" resumen las directrices de su política. Se trata de "lograr una mayor participación de la población indígena en la producción y en los beneficios del desarrollo nacional".

Por lo tanto: "Los objetivos de esta nueva estrategia del estado mexicano para con los grupos étnicos, pueden sintetizarse en el logro del desarrollo y fortalecimiento en forma simultánea de la producción material y de las culturas particulares de la población indígena, a partir de una decisión razonada y autónoma de las propias comunidades, en un marco de participación organizada que, al mismo tiempo, enriquezca el pluralismo cultural que caracteriza la nación mexicana." [53]

Quedan subrayadas la participación, la revalorización de las culturas autóctonas y el pluralismo étnico como aportación a la personalidad de la nación. El pluralismo cultural ya no se considera un obstáculo para la consolidación nacional.

El gobierno de López Portillo crea COPLAMAR (Coordinación General del Plan Nacional de Zonas Deprimidas y Grupos Marginados, dependiente de la Presidencia de la República) cuyo programa concierne alimentos básicos, servicios de sanidad (especialmente a través de las instalaciones del Instituto Mexicano del Seguro Social en el Programa IMSS-COPLAMAR), mejora del habitat rural, escuelas, distribución de agua potable, construcción de carreteras entre las comunidades, etcétera.

Antes de finalizar este capítulo dedicado al indigenismo mexicano de estado, examinemos rápidamente la reciente Ley de Desarrollo Agropecuario, íntimamente ligada a la cuestión india, puesto

[53] *Informe de labores del Instituto Nacional Indigenista 1972-1980*, presentado en el VIII Congreso Indigenista Interamericano.

que afecta a las comunidades indias y a los ejidos. Su promulgación en febrero de 1981 ha provocado polémicas y ha tenido detractores incluso en el gobierno y en los sindicatos oficiales. La disposición más controvertida es la del art. 32, "De las unidades de producción": "Los ejidos o comunidades podrán integrar mediante acuerdo voluntario unidades de producción asociándose entre sí o con colonos y pequeños propietarios, con la vigilancia de la Secretaría de Agricultura y Recursos Hidráulicos".

Esta ley reúne los objetivos del SAM (Sistema Alimentario Mexicano) creado en 1980: aumento de la producción y recapitalización del campo con vistas a alcanzar, en 1982, el autoabastecimiento de maíz y frijol, alimentos básicos de la población mexicana.

Según los defensores de esta ley, hay que tratar de resolver la crisis agraria mediante el aumento de la producción y de la productividad. Efectivamente, en estos últimos años la producción agraria ha ido deteriorándose y ha sido necesario importar grandes cantidades de maíz, trigo y frijol. El CNPI,[54] algunos sectores del PRI (Partido Revolucionario Institucional) y de la CNC, varias organizaciones indias y no indias independientes y el Colegio de Sociólogos, entre otros organismos, rechazan la adopción de esta ley, defendida por los tecnócratas y la mayoría del PRI, así como también por el PAN (Partido Acción Nacional, extrema derecha) y significa la victoria de los "productivistas" sobre los "agraristas" (el agrarismo acababa de vivir un nuevo auge durante el mandato

[54] Declaración del CNPI aparecida en *Excélsior* el 2 de diciembre de 1980. Sobre la postura de los indios frente a esta ley, ver nuestro artículo en *Le Monde Diplomatique* de junio 1981: "La inquietud de los campesinos indígenas".

de Echeverría, quien llevó a cabo una política de distribución de tierras y de revalorización de la explotación colectiva de los ejidos). Esta ley, además, cuestiona uno de los fundamentos ideológicos del régimen (no olvidemos que la promoción de los ejidos fue uno de los grandes logros de la revolución). ¿Qué consecuencias tendrá para esta forma de tenencia de la tierra la asociación con el capital privado? Después de haber ejercido una fuerte presión para conseguirlo, el sector privado podrá por fin introducirse en los ejidos y en las comunidades, con el consabido riesgo de su completa absorción, y para conseguirlo dispone de todos los requisitos jurídicos necesarios para invertir. Los pequeños y medianos terratenientes se convertirán, de hecho, en los "patrones" de los ejidatarios y de los comuneros quienes se convertirán en peones de los primeros. Mediante una privatización creciente del sector agrícola, esta ley desencadena un proceso de descomunitarización de los grupos indios, de "peonización" y proletarización de los comuneros y, por consiguiente, de integración al sistema dominante. ¿Qué quedará del indio cuando sólo pueda considerar la tierra únicamente como un medio de producción? Sólo quedará el peón desculturizado, descomunitarizado y proletarizado, pero ¡integrado, por fin! Observamos aquí la contradicción entre los nuevos programas indigenistas que tratan de revalorizar y desarrollar las culturas autóctonas, y la nueva política agrícola, cuyo objetivo es romper la relación comunitaria entre los indios y la tierra, introduciendo intereses privados en sus propias comunidades. Y aquí volvemos a los cauces del indigenismo tradicional: privatización de la tierra para acelerar la integración al sistema. . .

En definitiva, la responsabilidad de la crisis

agraria recae sobre los ejidos y las comunidades, pues no están "modernizados", por lo tanto no son rentables y al mismo tiempo se olvida que no recibieron la ayuda que se les debía, impidiéndoles demostrar plenamente sus capacidades. Siendo como son presa fácil de caciques, usureros e intermediarios y de la corrupción administrativa, son ellos, finalmente, los que pagan la cuenta por la dependencia alimentaria del país.

Aun siendo paternalista, el deber de la política indigenista surgida de la revolución era mejorar notablemente la situación de los indios, aunque solamente fuera para favorecer el nacionalismo. Sus objetivos fundamentales eran el incremento del nivel de vida, el descenso de la mortalidad, la enseñanza gratuita, etc. Hay que reconocer que, de todos modos, México ha hecho grandes esfuerzos en favor de los grupos indios, especialmente a nivel de infraestructura educacional y sanitaria. Según Alejandro Marroquín, la acción indigenista, sin embargo, sólo alcanza a una quinta parte de la población india. Además, la burocratización a ultranza merma la eficacia del INI y con frecuencia no hay coordinación entre los distintos organismos estatales, produciéndose incluso contradicciones entre el INI y otras instituciones. Sin lugar a dudas, el ejemplo más reciente de esta paradoja es la nueva Ley de Desarrollo Agropecuario: la ley es de la competencia de la Secretaría de Agricultura y Recursos Hidráulicos, pero contradice las nuevas orientaciones indigenistas. El resultado es que las medidas adoptadas en el papel nunca verán su realización concreta, frustrando muchas de las esperanzas surgidas entre los indios. La ayuda técnica es deficiente y la escasez de fondos explica sólo en parte estas insuficiencias. Por otra parte, la oposición de los no indios complica la tarea de los indigenistas y la relación indios/no indios permanece inalterada. Finalmente, se presentan nuevos problemas, como la explosión demográfica y una mayor presión sobre la tierra, resultado de una reforma agraria incompleta, generadora de emigración hacia las ciudades.

El indigenismo entra en el proceso de consolidación del nacionalismo mexicano. El populismo de Cárdenas y de Echeverría contribuyó a convertirlo en una preocupación primordial del gobierno. Todo periodo populista supone mejoras sociales considerables en el marco de la modernización del capitalismo y al mismo tiempo provoca una concienciación en las masas populares, quienes se dan cuenta de que el sistema no puede superar ciertos límites. En el caso de los indios de México, el Congreso de San Cristóbal de las Casas en 1974, e incluso los Congresos del CNPI, demuestran hasta qué grado se produjo una toma de conciencia cuyas consecuencias, a corto y a largo plazo, superarán con creces las fronteras oficiales del indigenismo.

En cuanto a lo que ya se puede llamar nueva política indigenista, de hecho retoma las reivindicaciones planteadas por los indios en sus congresos. El indigenismo "de participación" responde así al desarrollo de la organización india como agente de cambio, por lo que es fácilmente adaptable a todas las situaciones y sabe aprovechar con habilidad las reflexiones indias y las teorías antropológicas. Sin embargo, la finalidad principal de esta política no supone un cambio en cuanto al verdadero objetivo del indigenismo: perpetuar el sistema según un reordenamiento político de las regiones étnicas. Además, no cuestiona la asimilación a la nación dominante sino que, por el contrario, trata de reforzarla. Hay que preguntarse si una política de este tipo es viable. Al parecer, en un primer momento podría considerarse como una posibilidad de mejora, pero a condición de disponer de los medios necesarios. Por nuestra parte, creemos que esta concesión, cuya importancia reconocemos, pronto topará con sus límites naturales en el seno mismo del sistema dominante, pues éste no ha sido concebido para otorgar a los indios el espacio político y la verdadera autonomía que ellos reclaman.

4. *Colombia*

La población india de Colombia representa, según las fuentes, entre el 2 y el 4% de la población total. Según el BIT, era del 3.2% en 1953.

La legislación colonial trató de controlar a los grupos indios y la mano de obra que representaban mediante la institucionalización del "resguardo", una forma de agrupación comunitaria que ya existía antes de la llegada de los españoles.[55] La legislación de 1561 define con el nombre de resguardo las tierras que debían ser entregadas a los indios mediante título. Era una forma de tenencia de la tierra no comercializable. Sin embargo, a pe-

[55] "El resguardo es la forma que tenemos los indígenas desde hace unos centenares de años para vivir en comunidad unidos bajo la autoridad del Cabildo.

"El sistema de resguardos empezó cuando los reyes españoles decidieron reconocer a los nativos habitantes del país extensiones de tierra para labranza y bosques, donde los comuneros trabajaran y aprovecharan de acuerdo con la adjudicación que les hiciera el Cabildo. Desde aquellos tiempos, la ley declaró que la tierra que estaba dentro de los mojones del resguardo no podía venderse, ni arrendarse, ni cederse a gentes extrañas que no pertenecieran a la comunidad. . ." Cita del periódico del Consejo Regional Indígena del Cauca (CRIC), *Unidad Indígena,* año 2, núm. 16, septiembre de 1976, p. 7.

sar de las leyes que los protegían, en los siglos XVI y XVII los resguardos sufrieron las consecuencias de la formación de grandes haciendas y la situación empeoró con las leyes liberales que preconizaban la individualización de la tierra.

En 1821, las autoridades republicanas suprimieron el servicio personal y los tributos que pagaban los indios y proclamaron también la igualdad jurídica de todos los ciudadanos, indios y no indios. El primer decreto de Bolívar del 5 de julio de 1820 ordenaba la entrega a los "naturales", en cuanto propietarios legítimos, de todas las tierras de los resguardos. Esta ley respondía a las ideas liberales de Bolívar y se aplicaría también en otros países. Como era previsible, la "libertad" de comprar y vender las parcelas de los resguardos, pronto se volvió en contra de los propios indios, quienes prácticamente perdieron todas sus tierras y poco a poco los resguardos pasaron a manos de los terratenientes, en tanto los indios se convertían en simples medieros o jornaleros.

Colombia tiene una gran tradición de luchas agrarias y era lógico que, a consecuencia del despojo de tierras institucionalizado por el liberalismo, el indio participara activamente en ellas. Según Orlando Fals Borda, a pesar de la "guerra contra los resguardos", los indios siguieron luchando para recuperar sus tierras y defender su cultura, especialmente en los departamentos del Cauca y del Nariño.

La Ley 89 de 1890 es tan importante que hasta en la actualidad es esgrimida por las organizaciones indias (el CRIC, por ejemplo) defendiendo los puntos que les son favorables, especialmente en lo que respecta a la protección de las tierras. La Ley 89 consagra a los indios como propietarios de los resguardos y reconoce a los Cabildos como autoridad interna de las comunidades.

El punto fundamental de la Ley 89 es la imprescriptibilidad de las tierras, es decir, nadie puede declararse dueño de las tierras de los resguardos, ni siquiera después de haberlas ocupado durante largo tiempo. Este último punto puede ser aducido para exigir su recuperación, objetivo principal de los indios de Colombia, especialmente en el Valle del Cauca. La Ley 89 de 1890 sigue siendo básica respecto a los resguardos.

Artículo 13, cap. II: "Contra el derecho de los indígenas que conserven títulos de sus resguardos y que hayan sido desposeídos de éstos de una manera violenta o dolosa, no podrán oponerse ni serán admisibles excepciones perentorias de ninguna clase. En tal virtud, los indígenas perjudicados por algunos de los medios aquí dichos podrán demandar la posesión ejecutando las acciones judiciales competentes." [56]

La Ley 200 de 1936, por la que los terrenos privados no cultivados por sus propietarios durante más de 10 años se convertían en tierras de propiedad pública, fomentó las esperanzas de los indios sin tierra. Las ocupaciones de tierras se multiplicaron y los indios ocuparon los antiguos resguardos. Estos acontecimientos se produjeron antes del periodo conocido en Colombia como "la violencia".

Durante los años 40 se produce un desmembramiento de los resguardos, así como el aumento del número de terrenos particulares. "La violencia" es la época en que muchos indios irán a engrosar las filas de la guerrilla.

La Ley 81 de 1958 concierne al desarrollo agríco-

[56] *Legislación Nacional sobre Indígenas*, Ministerio de Gobierno, Dirección General de Integración y Desarrollo de la Comunidad, Bogotá, Imprenta Nacional, 1970, p. 24.

la de las "parcialidades" (o comunidades indias), propiciando "la formación de cooperativas de producción y de consumo en las parcialidades".[57]

En 1960 se creó la División de Asuntos Indígenas (DAI), bajo la tutela del Ministerio de Gobierno, en aplicación (tardía) de las recomendaciones de los Congresos Indigenistas Interamericanos que se venían celebrando desde 1940. La creación de la DAI responde a las preocupaciones indigenistas que surgen en el seno del gobierno y a la necesidad de ocuparse específicamente de la cuestión india, en particular en la perspectiva de una "modernización" del campo.

En 1961, por la Ley 135 de Reforma Social Agraria, se crea el Instituto Colombiano de Reforma Agraria (INCORA), con la finalidad de crear reservas destinadas a los grupos indios. Pero en Colombia la resistencia de los terratenientes es tan fuerte como la lucha por la tierra y la tarea del INCORA se revela prácticamente imposible, lo que explica la estabilidad de las cifras referentes a tenencia de la tierra. Con demasiada frecuencia, los funcionarios de la DAI, organismo que trabaja en estrecha colaboración con el INCORA, defienden más los intereses de la élite local que los de los indios. Según Fals Borda,[58] el censo agrícola de 1960 arrojaba un 10% de propietarios que poseían el 81% de las tierras y un 50% poseía el 2.5%. En el censo de 1970 las cifras son prácticamente las mismas: el 10% posee el 80% de las tierras y el 50% posee el 2.5%, lo que equivale a decir que la reforma agraria no ha sido aplicada.

La Ley 31 de 1967 aprueba el Convenio Internacional del Trabajo relativo a la "protección" y

[57] *Ibid.*, p. 37.

[58] Orlando Fals Borda, *Historia de la cuestión agraria en Colombia,* Bogotá, Publicaciones de la Rosca, 1975, p. 97.

a la "integración" de las poblaciones indígenas y tribales (Convenio núm. 107) en los países independientes, adoptado por la Cuadragésima Reunión de la Conferencia General de la Organización Internacional del Trabajo celebrada en Ginebra, Suiza, en 1957. El discurso utilizado por esta ley recuerda las grandes líneas de la política indigenista a nivel continental: integración nacional, integración de las poblaciones a la colectividad nacional, medidas especiales de protección... Para conseguirlo, contar con la colaboración de las poblaciones mismas y de sus representantes.

Por otra parte: "Dichas poblaciones podrán mantener sus propias costumbres e instituciones cuando éstas no sean incompatibles con el ordenamiento jurídico nacional o los objetivos de los programas de integración." [59]

El artículo 11 reconoce el derecho a la propiedad colectiva o individual sobre las tierras tradicionalmente ocupadas.[60]

Artículo 12: "No deberá trasladarse a las poblaciones en cuestión de sus territorios habituales, sin su libre consentimiento, salvo por razones previstas por la legislación nacional relativas a la seguridad nacional, al desarrollo económico del país o a la salud de dichas poblaciones..." [61]

Este artículo introduce la noción de seguridad nacional, que se desarrolló sobre todo en Brasil con la instauración del poder militar en 1964, e irá progresando también en Colombia: en la actualidad, las zonas indias del Cauca están militarizadas precisamente por razones de seguridad nacional.

Otro punto importante de este artículo es el

[59] *Legislación Nacional sobre Indígenas,* cit.
[60] *Ibid.*
[61] *Ibid.*

"desarrollo económico del país", una razón más para modificar la situación de los indios. Los dirigentes conciben el desarrollo de las zonas agrícolas mediante la creación de empresas comunitarias para legalizar la toma de tierras, únicamente como un medio para favorecer el desarrollo capitalista del país y, en la etapa actual, su modernización.

Las exigencias de la modernización en Colombia y, paralelamente, la agravación de los contrastes sociales producidos por la "bonanza cafetalera", han inducido a los indios a organizarse y su combatividad, en particular la de los indios del CRIC, obligó al gobierno a elaborar un nuevo Estatuto del Indígena, al mismo tiempo que el ejército iba ocupando progresivamente las zonas campesinas e indias más conflictivas.

El nuevo Estatuto del Indígena (1979) prevé el fortalecimiento de la industria ganadera y agrícola, según el modelo de la gran empresa, el apoyo a la economía campesina y la ampliación de la frontera agrícola. La política agraria de "colonización" provocó la desarticulación de muchos grupos indios, como los coreguajes del Caquetá, los cuivas, sirpus, sálivas, guahibos y masiguares de Casanare, Arauca y Vichada.[62]

Este Estatuto Nacional del indígena reconoce el derecho a utilizar y preservar los idiomas y dialectos maternos, así como las creencias y prácticas religiosas. La enseñanza en las zonas indígenas será bilingüe (art. 8). "Los resguardos y reservas territoriales indígenas serán inembargables e imprescriptibles" (art. 10). Sin embargo, el artículo 11, relativo a la propiedad de la tierra, es tan vago que permite todas las interpretaciones: "Para la

[62] Adolfo Triana, "Indígenas y represión en Colombia", en *Controversia 79,* Bogotá, CINEP, 1979.

defensa de las reservas territoriales indígenas, las comunidades respectivas se presumirán dueñas."

Si el artículo 10 se alinea con las disposiciones de la Ley 89 de 1890 y parece otorgar el respeto de la propiedad colectiva de la tierra, la ambigüedad del artículo 11 que acabamos de citar, vuelve a ponerlo todo en entredicho.

Por otra parte, el estatuto pretende controlar la organización de los indios y la represión contra ellos nunca fue tan dura como en estos últimos años. El estado también quiere evitar que sus organizaciones se asocien con organismos que podrían asumir su control:

Artículo 3, párrafo 4o.: "Ejercer control, inspección y vigilancia sobre las asociaciones, corporaciones o fundaciones, que adelanten o pretendan adelantar actividades sobre indígenas, y sobre las juntas, asociaciones de acción comunal y demás organizaciones de desarrollo de la comunidad, con el objeto de que se cumplan las disposiciones legales y gubernamentales pertinentes y se inviertan correctamente los recursos de que disponen. Igualmente aplicar las sanciones correspondientes a quienes contravengan tales disposiciones." [63]

El Estatuto Nacional Indígena se inscribe totalmente en las orientaciones del Estatuto de Seguridad, una ley de excepción promulgada por el gobierno de Turbay Ayala en septiembre de 1978. El gobierno colombiano responde con la represión y la militarización de sus zonas a las legítimas reivindicaciones de los indios. La nueva política indigenista se elabora bajo el signo de la represión justificada por la "seguridad nacional".

[63] "Estatuto Nacional Indígena", en *Anuario Indigenista*, año XXXIX, vol XXXIX, México, diciembre de 1979.

5. *Brasil*

Según Alejandro Marroquín, la población india del Brasil constituía en 1950 aproximadamente el 0.6% de la población total, es decir, 329 082 personas.[64] Según las cifras del Consejo Indigenista Misionero (CIMI), en 1980 había 227 801 indios.[65]

La colonización portuguesa se expandió apoderándose de los territorios indios y esclavizando a los pueblos autóctonos. En 1831, por ley, los indios quedan libres de los servicios obligatorios. En 1850, las tierras indias quedan incorporadas al patrimonio nacional, de tal manera que los indios solamente tendrán el usufructo de la tierra y no su propiedad.

Después de la instauración de la República en 1889, los pioneros penetran cada vez más en los territorios indios mediante la construcción de vías de ferrocarril, la navegación fluvial y la expansión de las plantaciones de café. El 20 de julio de 1910 se creó por Decreto 8072 el servicio de Protección de los Indios (Serviço de Proteção aos Indios), dependiente del Ministerio de Agricultura. Fundado por Cándido Rondón, este Servicio pretendía desarrollar una labor humanitaria y comprensiva hacia los indios, lo que Darcy Ribeiro llama "la intervención proteccionista",[66] tratando al mismo tiempo de pacificarlos. En los años 50, la corrupción invadió el SPI, de tal manera que su reputación era motivo de escándalo. En 1967, un informe del gobierno lo acusaba de la aniquilación de muchos indios. Tanto oficiales de alto rango

[64] Alejandro Marroquín, *op. cit.*, p. 213.

[65] DIAL, núm. 699 (Difusión de Información sobre América Latina), París.

[66] Darcy Ribeiro, *Fronteras indígenas de la civilización*, México, Siglo XXI, 1971.

como funcionarios, fueron acusados de asesinatos, torturas, expropiación de tierras, etc. Según Alejandro Marroquín, entre 1900 y 1967, el 73.4% de la población india fue exterminada.[67]

En 1967, la Fundación Nacional del Indio (FUNAI) sustituyó al SPI. Objetivamente, su función es el apoyo a la política del gobierno militar en el poder desde el golpe de estado de 1964 y la integración de los grupos indios para facilitar la "conquista de la Amazonia".

Para solucionar el problema indio, el Brasil ha optado por la creación de reservas. La más conocida es la del Parque Nacional de Xingu, con una extensión de 28 000 kilómetros cuadrados, dirigida por los hermanos Villa Boas. Las reservas no son de ningún modo territorios autónomos y a sus habitantes se les considera "en vías de integración", contrariamente a lo que ocurre con los que están totalmente aislados y son rebeldes a cualquier contacto con la sociedad que les rodea.[68]

Darcy Ribeiro distingue varios tipos de grupos indios en el Brasil en cuanto a su nivel de integración en la sociedad nacional:

– aislados;
– en contacto intermitente;
– en contacto permanente;
– integrados.

El VII Congreso Indigenista Interamericano que tuvo lugar en 1972 en Brasilia, afirmaba que los países americanos tenían la obligación de incluir el desarrollo de los grupos tribales en sus planes nacionales de desarrollo, garantizándoles el derecho a participar en los planes y en las decisiones,

[67] Alejandro Marroquín, *op. cit.*, p. 234.

[68] François Lepargneur, *L'avenir des indiens du Brésil*, París, CERF, Terre de Feu, 1975.

y declaraba inalienables las tierras habitadas por estos grupos.[69]

En los años que siguieron, y ante la expansión brasileña en la Amazonia, fue necesario elaborar otro estatuto que se adaptara perfectamente a la política del gobierno. La polémica estalló en torno a la política indigenista a seguir: ¿había que "mantener al indio en una caja de cristal" o "prepararlo con vistas a su integración a la comunidad nacional"?[70] Había pues dos soluciones en juego:

— apartarlo de la "civilización" y conservarlo en un parque, como una especie en vías de extinción;

— "integrarlo" a la civilización.

Al parecer, es imposible imaginar una tercera solución que consistiría en que el indio mismo, en cuanto sujeto, asumiese sus relaciones con el resto de la sociedad. En las dos soluciones que se barajan, el indio no interviene y recibe, como objeto, las decisiones que se adoptan por él. La FUNAI, por ejemplo, no tiene representantes indios en sus órganos de consulta y decisión. Recientemente, en 1981, 30 antropólogos han sido sustituidos por coroneles...

Desde el punto de vista del estatus jurídico, el indio del Brasil no es un ciudadano con todos los derechos, sino que está bajo la tutela del estado. En 1977-78 fracasó un proyecto de emancipación de los indios, pues ello hubiera implicado la alienabilidad de sus tierras (este proyecto recuerda las leyes liberales del siglo XIX que proclamaban la igualdad jurídica entre indios y no indios y les otorgaba la "libertad" de vender sus tierras, una libertad que no hizo sino afianzar su situación de

[69] *Ibid.*

[70] Ismarth Araujo Oliveira (presidente de la FUNAI), "Política Indigenista Brasileña", en *América Indígena*, 37 (1), enero-marzo de 1977, pp. 41-63.

inferioridad en el seno de la sociedad). La FUNAI elaboró las modalidades de esta emancipación que de haber sido aplicadas, hubieran significado para los grupos autóctonos la pérdida efectiva de sus tierras, ya bastante comprometidas.

En 1973 se promulga un nuevo Estatuto del Indio que legaliza su traslado forzado hacia otras regiones en los casos en que el gobierno considere que sus tierras son de interés vital para "el desarrollo nacional y la seguridad del país". Los indios sólo tienen el usufructo, no la propiedad, de sus tierras, por lo tanto, tampoco ejercen el control sobre las riquezas que éstas puedan encerrar. Además de esto, los ingresos que podrían obtener de sus productos o del alquiler de sus tierras a las compañías explotadoras de minas y bosques no los reciben sino que se depositan en la administración de asuntos indios.[71]

La política indigenista en vigor en América Latina consiste en convertir a los indios en propietarios, mientras que la nueva política indigenista del Brasil, tal y como queda definida en el Estatuto del Indio, lo convierte en el usufructuario de unos territorios que no le pertenecen. Las tierras pueden alquilarse, pero los indios no pueden tomar ninguna decisión y tampoco perciben el precio del alquiler. Al no ser propietarios, tampoco podrán defender sus tierras, puesto que "para luchar contra el blanco, hay que ser propietario".

Los grupos indios del Brasil estorban la expansión del capitalismo que en este país se manifiesta en forma de "desarrollismo" desenfrenado. La Amazonia es la tierra prometida de la colonización. El Instituto Nacional de Colonización y de

[71] Hugh O'Shaughnessy y Stephen Gorry, *Quel est l'avenir des indiens d'Amerique du Sud?,* Informe núm. 15, (nueva ed.), Minority Right Group, Londres, 1977, p. 23.

Reforma Agraria (INCRA) se encarga de completar la política indigenista instalando en la selva a poblaciones expulsadas del nordeste, que muy a menudo se asientan en los territorios indios. En nombre del "desarrollo", la Amazonia es el objeto de una explotación desenfrenada e irracional, favorecida por la construcción de muchas carreteras que atraviesan los territorios indios.

La doctrina de la seguridad nacional también tiene su papel en la extinción de los grupos indios. En nombre de esta seguridad, las fronteras brasileñas están militarizadas, las tierras indias fronterizas tienen interés estratégico y por lo tanto vital para mantener la hegemonía militar brasileña. El despojo se llevará a cabo legalmente, en virtud del Estatuto del Indio.

La expansión de las multinacionales en la Amazonia también se nutre de la desaparición progresiva de las poblaciones indias y desde el 3 de julio de 1978, el Pacto Amazónico tiene por objetivo el "desarrollo integral" de la Amazonia, mediante la coordinación de iniciativas entre los países miembros.

Por otra parte, la penetración de los grandes grupos económicos (principalmente ganaderos), obliga a los campesinos sin tierra a replegarse sobre los territorios indios, creando conflictos entre los pequeños cultivadores (los "posseiros") y los indios. Éstos, por su parte, en lugar de ser los aliados naturales frente al despliegue de las grandes compañías ganaderas y madereras, se convierten en enemigos de los campesinos. Los últimos conflictos de tierras son un ejemplo de este fenómeno.

La aniquilación de los grupos indios de la Amazonia parece necesaria para lograr los siguientes objetivos:

– integración militar de la Amazonia;
– integración física (construcción de carreteras);
– integración económica (Pacto Amazónico);
– colonización (trasladando a la selva colonos originarios de regiones conflictivas);
– expansión de las multinacionales (especialmente para la explotación forestal y la ganadería).

IV. CRÍTICA DE LA POLÍTICA INDIGENISTA

1. *La ideología de la integración y aculturación unilaterales.*

Desde la llegada de los españoles a América, el objetivo de la política indigenista ha sido la integración de las poblaciones autóctonas al nuevo sistema, entiéndase: nuevo sistema de producción, nueva religión, nueva cultura vehiculizada por el castellano, para que estas poblaciones estuvieran en condiciones de servir a la Corona. Actualmente, la "conquista" continúa bajo el eufemismo de integración, apoyándose en el dualismo de la sociedad. Según esta teoría, en América Latina coexisten una sociedad tradicional y una sociedad moderna; la primera está "atrasada" y tiene que integrarse a la segunda para acceder al desarrollo. El dualismo de la política indigenista justifica la persistencia de la conquista y de la colonización (es frecuente encontrar este término en la legislación referente a asuntos agrarios), transformando las regiones indias en colonias internas.

"El término 'aculturación' aparece ya en 1880 en la antropología norteamericana durante la conquista del Oeste... como una abstracción que escondía el colonialismo."[72]

[72] Adolfo Colombres, "Hacia la autogestión indígena", en

La sociedad "nacional" moderna, la de las clases dominantes, se nutre del colonialismo interno para favorecer la expansión del capitalismo. Se trata de reproducir las condiciones de la situación colonial en un contexto de desarrollo capitalista. Para lograrlo, el estado necesita de un aparato ideológico que sostenga esta integración: este aparato es el de la política indigenista. El indigenismo de estado expresa cómo las clases dominantes, portadoras de la cultura dominante, interpretan el "problema indígena" y vehiculiza la ideología dominante con el fin de consolidar la "nación", la de los no indios y más precisamente la de los no indios partidarios del desarrollo capitalista. La asimilación a la "nación" no es una exclusiva del sistema dominante capitalista, los países socialistas persiguen el mismo fin y en América Latina ideólogos socialistas, como por ejemplo Mariátegui, querían "peruanizar al Perú". La integración nacional unilateral se inscribe en el marco de la búsqueda de una identidad nacional. Para alcanzar este objetivo, habrá que cambiar o reformar algunas estructuras (por ejemplo mediante la reforma agraria) para modificar el espíritu de los grupos afectados: de esta forma, aceptarán más fácilmente su integración al sistema. Para facilitar la integración, el papel de los "promotores del cambio social", seleccionados preferentemente entre indios totalmente asimilados al sistema dominante, es primordial.

"Estamos completamente conscientes de que la transformación de las condiciones de vida de la sociedad indígena debe ser confiada a sus propios líderes y dirigentes, para evitar traumatismos de tipo social y cultural, de ahí la importancia del

Siete ensayos sobre indigenismo, INI, Serie Cuadernos de Trabajo (6), México, p. 31.

papel que deben desempeñar estos Promotores de Cambio Social."[73]

Estos promotores tienen que persuadir a las poblaciones indias de que el "cambio social" equivale a "progreso social"... Pero ¿en qué consiste el cambio social para los indios, cambio que con frecuencia aún se llama "ladinización", "cholificación", etc.? De hecho, el cambio social es la integración unilateral al sistema, es decir, a la civilización moderna, concebida por los no indios como única válida para estas poblaciones. Se trata de hacerles participar en el "desarrollo" que únicamente puede ser lineal. La integración tiene que efectuarse a todos los niveles, especialmente económico y cultural, pero también a nivel político (para los no indios, la solución del problema indio pasa por la integración total a la sociedad no india, independientemente de que se trate de la política oficial de un gobierno o de la política de la oposición. Al proletarizarse o al convertirse en pequeño propietario, según los deseos de la clase dominante, el indio se integrará al capitalismo y por lo tanto a las clases sociales, con lo que podrá tener su lugar en el análisis de la oposición de izquierda, especialmente la marxista).

La integración cultural significa no solamente la castellanización, sino también la adopción de valores culturales occidentales, vehiculizados por la política educacional y los *mass-media*. La integración económica acelera la integración cultural: con la descomunitarización, la desaparición de la propiedad comunitaria, el indio se convierte o en pequeño propietario (en la mayoría de los casos minifundista o microfundista), o en proletario

[73] Jaime Valencia y Valencia, "Consideraciones generales sobre la política indigenista en Colombia", en *América Indígena,* 32 (4), octubre-diciembre de 1972, p. 1292.

rural (urbano, si emigra). Es decir, sus preocupaciones serán cada vez más individualistas.

La integración económica se manifiesta por la introducción del trabajo asalariado, la proletarización, la introducción al sistema de mercado (este comienza en el momento en que el indio intercambia sus productos con los no indios). Una de las consecuencias es la competencia desleal que obliga a muchos comuneros a convertirse en "peones sin tierra", pues tienen que vender su fuerza de trabajo a los grandes propietarios o a las cooperativas. En el peor de los casos, la integración al sistema que ha sido la causa del despojo de sus tierras, lo obligará a emigrar hacia las ciudades, donde irá a aumentar el número de marginados. El resultado último que puede observarse en América Latina es la marginación misma del sistema. "La integración" tal y como se concibe, es decir unilateral, resulta ser una ideología al servicio de las clases dominantes que necesitan la formación de un ejército de reserva del sector no estructurado y de los servicios lo bastante aculturado como para aceptar el sistema y servirlo.

La integración política también es unilateral en todos los países de América Latina: integración a la nación dominante centralizadora, que ignora la existencia de los pueblos dominados. Éstos no tienen ninguna representación política en cuanto pueblos diferenciados y tienen que someterse a un estado-nación, idea importada de la Europa del siglo XIX por los liberales latinoamericanos que poseían el poder político. Los indios no tienen ninguna autonomía política y su presencia tampoco ha sido tomada en cuenta para tratar de elaborar una definición de "nación" que no fuera importada y respondiera a la realidad plurinacional americana. Víctimas de la opresión política, los indios tienen que someterse a la nación de los no indios, en la cual, de todos modos, son los eternos colonizados, desprovistos de poder político y sometidos a un nacionalismo que en la mayoría de los casos les es totalmente ajeno.

Hay otra forma de integración que de alguna manera comprende todas las demás: la *integración civilizatoria,* según la cual los indios tienen que plegarse a un modelo de civilización que no ha sido creado por ellos mismos. Se les inculcan otros valores, otros modelos de consumo, otras necesidades, otra concepción del mundo, otro modelo de desarrollo, etc., que no son el resultado de su propia civilización, sino de otra trayectoria. El occidentalocentrismo o etnocentrismo de los portadores de la civilización occidental es omnipresente. Los no indios, ya sea de grupos dominantes o dominados, reproducen el modelo occidental de desarrollo y lo imponen a los pueblos colonizados, en la firme convicción de llevarles *la* civilización y *el* progreso (esta convicción es más fuerte que nunca entre los no indios, a pesar de la dependencia creciente de los países latinoamericanos que debería llevarles a preguntarse si los modelos importados sin discriminación alguna son realmente válidos para el tercer mundo).

El desarrollo tecnológico e industrial de la civilización occidental no hace sino agrandar la distancia entre las dos alternativas: civilización occidental o civilización propuesta por los mismos indios. En consecuencia, la integración se lleva a cabo de forma violenta, especialmente por la expansión del imperialismo económico y cultural. Esto explica la reciente multiplicación de las organizaciones indias que plantean los problemas no sólo en términos económicos, sino también culturales y políticos, e incluso de liberación nacional.

2. *La desintegración del sistema comunitario*

La época colonial "protegía" las comunidades, mientras que la era republicana creó un aparato legislativo anticomunitario. El siglo xx tiene tendencia a reconocer las comunidades y al mismo tiempo, utiliza un sistema de desintegración más sutil: por un lado reconoce oficialmente su derecho a la existencia, pero de hecho, la política indigenista integracionista las desintegra.

El objetivo es romper la armonía entre el indio y la tierra, puesto que así no podrá reproducir íntegramente su cultura al no disponer del marco que la sustenta y al no subsistir la base de sus reivindicaciones. Sin lugar a dudas, ésta es la razón por la que los indios son mucho más combativos en sus propias tierras (o para recuperar las que les han sido usurpadas) que en el lugar donde hayan emigrado (en las barriadas, por ejemplo, el grupo trata de organizarse en asociaciones culturales, etc., pero le falta el soporte de la tierra y para compensarlo, buscará la relación estrecha con su origen comunitario, con las raíces).

La reforma agraria no deja de ser un aspecto de la política indigenista, aunque afecte a todos los campesinos y a los terratenientes. En general, siempre hay resoluciones que afectan directamente a los grupos indios.

En la mayoría de los casos, las reformas agrarias reconocen la existencia legal de las comunidades, pero favorecen el desarrollo de la propiedad individual para contrarrestar la tendencia comunitaria de los indios. Las dificultades de subsistencia provocadas por este tipo de política, obligan a los indios a dejarse absorber por el sistema imperante.

En general, las reformas agrarias son individualistas y tienden a modernizar el capitalismo (Bolivia, Perú, Colombia, etc.). Únicamente en México se ha intentado imaginar un sistema de tenencia de la tierra (la fórmula de los ejidos) que se adapte tanto a la vida comunitaria como al capitalismo (puesto que este último permanece indiscutido).

Para los occidentales, las reformas agrarias de Perú y Bolivia pueden parecer radicales, pero no lo son para los indios, sencillamente porque van en contra de sus propios intereses comunitarios. Estas reformas favorecen el cooperativismo y la pequeña propiedad, muy bien aceptados ambos por los no indios, pero no es el caso de los indios pues son procesos que no hacen sino acelerar su desintegración y descomunitarización.

Por otra parte, en los últimos tiempos las reformas agrarias insisten sobre todo en la colonización de las "tierras vírgenes". La ventaja de este tipo de reforma es que los gobiernos no tienen que enfrentarse a los grandes terratenientes y los únicos afectados son los territorios indios, con todos los abusos que ya conocemos (Brasil...).

La generalización de la propiedad privada, con la consiguiente desestructuración comunitaria, favorece la aparición de clases sociales en el seno mismo de las poblaciones autóctonas. Al intervenir el concepto de propiedad de la tierra como medio de producción, la relación indio/tierra cambia y poco a poco la comunidad se convierte en una sociedad de clases en la que éstas se definen en relación con la propiedad de la tierra y la extensión poseída. Las leyes de la competencia difunden el individualismo y se desarrolla una economía de mercado, con el consiguiente empobrecimiento de los más pobres frente al enriquecimiento de los más ricos y los grupos que pertenecían a la misma comunidad se polarizan en clases sociales antagónicas.

3. *Balance de la política indigenista y el punto de vista indio*

Según el "Plan Básico de Gobierno 1976-1982" de México: "Uno de los propósitos que [...] han perseguido los gobiernos [...] de la Revolución mexicana es el de la integración de los grupos marginados, entre los cuales se encuentran los originalmente americanos, conocidos con la general designación de indígenas [...] No obstante los esfuerzos y grandes logros conseguidos a la fecha, el problema subsiste en virtud de situaciones de aislamiento y dependencia a que están sujetas las comunidades indígenas [...]"

Esta cita demuestra que el gobierno mexicano es consciente de la persistencia del problema indio, a pesar de las mejoras aportadas a sus condiciones de vida. También es cierto que México ocupa un lugar aparte en cuanto a política indigenista. Ya hemos hablado de las actividades del INI; Alejandro Marroquín alaba la eficacia de su acción sanitaria, el perfeccionamiento de los sistemas educacionales, los cambios introducidos en las técnicas agrícolas...[74] En 1966, Henri Favre opinaba que, en general, el esfuerzo indigenista no había afectado al sistema colonial y aunque supuso un aumento real de la producción india gracias a las innovaciones tecnológicas, los beneficios de ésta recorrían los cauces tradicionales de manera que, paradójicamente, los no indios resultaban ser los

[74] Alejandro Marroquín, "Consideraciones sobre el problema económico de la región tzeltal-tzotzil", en *América Indígena* núm. 3, México, junio de 1956.

verdaderos beneficiarios de la ayuda a los indios.[75]

Sin embargo, el mismo Henri Favre reconoce que en el caso de México las instituciones indigenistas tienen un espíritu abierto y permiten a una nueva generación de antropólogos criticar la política indigenista actual: "El alcance del Instituto Nacional Indigenista supera ampliamente el marco de una acción puramente indigenista. El INI ha sido la primera institución que ha utilizado los conocimientos de antropólogos, etnólogos y sociólogos, aplicando las teorías sociales a problemas concretos... El INI ha contribuido al nacimiento de una joven generación de antropólogos comprometidos en la acción." [76]

Los nuevos antropólogos y sociólogos consideran que el indigenismo ha de cambiar radicalmente y que es necesario observar y seguir muy de cerca las orientaciones de las organizaciones que se van formando en los distintos grupos étnicos.[77]

El indigenismo necesita que los grupos étnicos participen en la elaboración de las políticas que les conciernen. Lamentablemente, en todos los países que poseen una política indigenista ocurre exactamente lo contrario.

México utiliza las ciencias sociales y dispone de buen número de técnicos. En otros países faltan técnicos o, si los hay, su capacitación es demasiado improvisada, como en el Perú, por ejemplo, según Alejandro Marroquín.[78]

[75] Henri Favre, "L'action indigéniste en Amérique Latine", *N.D., La Documentation Française,* Problèmes d'Amérique Latine, núm. 3317, 9 de septiembre de 1966, p. 50.

[76] Henri Favre, "L'intégration socio-économique des communautés indigénes du Mexique", en *Revue Tiers-Monde,* vol. IV, núm. 15, 1963, p. 469.

[77] Félix Báez-Jorge, "Indigenismo e impugnación", en *Siete ensayos sobre indigenismo,* cit.

[78] Alejandro Marroquín, *Balance...,* cit., p. 181.

En Perú y Bolivia hubo grandes cambios en las estructuras agrarias, inspirados por una óptica europea, que afectaron a las comunidades. Alejandro Marroquín subraya el hecho de que entre los cuadros cooperativistas no hay indios: "Se hace necesario entonces buscar una organización cooperativista tan flexible que se adapte al nivel cultural y económico de las comunidades aun cuando tenga que apartarse bastante de los clásicos modelos europeos." [79]

Orlando Fals Borda considera que los "movimientos cooperativos" son "un medio para pacificar un pueblo levantisco" [80] y lamenta la tendencia a imitar soluciones de tipo europeo y norteamericano: "de un conocimiento más íntimo de la cultura campesina y de los campesinos, de lo que éstos pueden hacer para articular su propio pensamiento y buscar sus propias soluciones, podría derivarse un enfoque nuevo y más realista sobre el cooperativismo como medio de acción en el campo" [81] "vemos que se trata de imitar a otros países a los cuales se considera social o económicamente 'avanzados', y se subestiman las posibilidades autóctonas de hacer logros independientes".[82] Según lo subraya justamente Aguirre Beltrán,[83] en ningún momento se discute la legitimidad de la política indigenista y menos aún la ideología oficial y la estructura socioeconómica en la que se inserta.

[79] *Ibid.* p. 204.
[80] Orlando Fals Borda, *El reformismo por dentro en América Latina,* México, Siglo XXI, 1976, p. 15.
[81] *Ibid.*, p. 18.
[82] *Ibid.*, p. 20.
[83] Citado por Andrés Medina en *Tres puntos de referencia en el indigenismo mexicano contemporáneo,* cit.

Para Adolfo Colombres, la ideología indigenista conduce al etnocidio, ni más ni menos.[84]

Nos encontramos nuevamente con los binomios integración-desintegración, aculturación-desculturación.

Los resultados positivos de la política indigenista son esencialmente de índole material y educacional: mejora de la tecnología, relativo incremento del nivel de vida, progresos en materia de sanidad y medicina (vacunas, etc.), escuelas, etc. Estos progresos varían mucho según los países y las regiones y a veces son inexistentes, pues en definitiva todo depende de las grandes opciones adoptadas por los gobiernos. El nacionalismo mexicano es propicio a la revalorización de la cultura india, pero al mismo tiempo, el desarrollo del capitalismo impide todo cambio en la relación de dominio entre no indios e indios. En el Brasil, el "desarrollismo" y la "seguridad nacional" justifican el exterminio de los grupos autóctonos, a pesar de que existe una política oficial de ayuda. Las diferentes políticas indigenistas se adaptan igualmente a las nuevas opciones de los gobiernos (En Colombia, Estatuto del Indígena, en 1979, etc.).

Desde el punto de vista educativo, se puede considerar positivo el estudio de las lenguas nativas, a pesar del peligro que representa la intromisión de instituciones tipo "Instituto Lingüístico de Verano", que operan en las regiones indias y cuya acción es denunciada cada vez con más frecuencia.[85] La enseñanza bilingüe a cargo de maestros indios se va desarrollando. A los progresos realizados en este campo se suman los de la investigación antropológica.

[84] Adolfo Colombres, *Hacia la autogestión indígena,* cit.
[85] Véase cap. 2, aspecto religioso, pp. 175-180.

Finalmente, la política indigenista sigue siendo "reformista" y no plantea el problema de las estructuras económicas, políticas y sociales, pero puede funcionar como catalizador, aunque sólo sea por el sentimiento de frustración que produce el despertar de esperanzas que permanecen insatisfechas.

Sin lugar a dudas, en el Perú las esperanzas suscitadas por Velasco han contribuido a la concienciación de las masas populares; ahora podemos observar cómo se radicalizan y cómo las comunidades indias desempeñan un papel muy activo en los movimientos reivindicativos.

En 1945, los participantes al Congreso Indígena de La Paz, Bolivia, tomaron conciencia de su fuerza y la población india participó masivamente en la revolución de 1952.

Sin embargo, todo esto no puede hacernos olvidar que los grandes objetivos de la política indigenista son paternalistas y que su ideología es la de considerar al indio como un receptor pasivo de su acción. Además, como lo subraya Alejandro Marroquín, la burocratización invade el aparato indigenista. Por último, se acepta cada vez menos que los indios no participen en los programas y esta falta de expresión en las instituciones oficiales es un motivo más para favorecer las organizaciones étnicas.

La política indigenista se reduce pues a ser un aparato ideológico del estado encargado de mantener y consolidar las estructuras de dominación o, más exactamente, de construir la "nación" preconizada por las clases dominantes. La situación colonial se perpetúa, quizá menos dura que bajo la Corona española, pero no por ello menos colonial, pues los pueblos indios carecen de toda autonomía.

Veamos ahora cuál es la interpretación que los indios hacen de la política indigenista. Citaremos algunas de las reflexiones más significativas:

—denuncia de la política integracionista: "...la política del gobierno con los indígenas es la de 'integrarnos', es decir, acabarnos como indígenas para volvernos campesinos sin tierra, obreros sin trabajo, o mendigantes en las ciudades".[86]

Política que los integra a la sociedad nacional, pero en sus aspectos más negativos: proletarización rural, proletarización urbana, mendicidad, etc.

—denuncia de la política aculturacionista. El cambio cultural se recibe de hecho como desculturación. Reclamación de la revalorización cultural: "Reclamamos la instauración de una política de revalorización cultural a nivel nacional que permita el desarrollo de las manifestaciones culturales de nuestros grupos indígenas y a la heterogeneidad lingüística y cultural de nuestro país, conforme la cultura nacional que nos une e identifica a todos los mexicanos." [87]

—denuncia de la política de colonización que no hace sino continuar la conquista: "La política de colonización sólo sirve para acentuar las características inarmónicas del subdesarrollo; tenemos el caso —muy reciente— de los 10 años de colonización de las reservas de Ticoporo, que sólo han llevado la miseria, desolación y otros estragos que fatalmente desembocan en un fortalecimiento del éxodo campesino".[88]

[86] *III Congreso Nacional de la ANUC,* Bogotá, del 31 de agosto al 4 de septiembre de 1974, Resoluciones del CRIC.

[87] Declaración a los delegados del II Congreso Nacional de Pueblos Indígenas suscrita por la Alianza Nacional de Profesionales Indígenas Bilingües, México, febrero de 1977, citado por Félix Báez-Jorge, *op. cit.,* p. 63.

[88] "Posición de la Confederación de Indígenas de Venezuela en cuanto al desarrollo del sur", en *Memoria,* Progra-

—denuncia de la demagogia indigenista: "La política indigenista del gobierno siempre se ha caracterizado, por un lado, por desatar una brutal represión contra nuestras organizaciones y contra nuestros compañeros indígenas y colaboradores, y por el otro, por todo un raudal de promesas incumplidas, palabras huecas, festivales folclóricos para el consumo del turismo, y programas que se quedan a la mitad del camino, debido a la incapacidad o a la mala fe de los funcionarios oficiales [...]" [89]

—denuncia de la falta de representación india en las instituciones indigenistas: "Durante el gobierno de Pastrana, es igual que sus predecesores [...] creó un tal Consejo Nacional de Política Indigenista en el cual por supuesto, no estaba representada ni una sola de nuestras comunidades." [90]

—rechazo del indigenismo al servicio de la ideología dominante: "Rechazamos el indigenismo porque corresponde a la ideología de la opresión, ya que desde su mismo origen ha servido a los intereses racistas de los gobernantes (estado), de las misiones (religión) y de la antropología (ciencias sociales)." [91]

—denuncia del paternalismo: "[...] ya llegó la hora de hablar fuerte del problema indígena, poniendo en el montón de la basura todas las ideas y procedimientos del llamado paternalismo de algunas instituciones que ocultan tras la hipocresía de la caridad, la verdadera intención de explotar-

ma de Desarrollo Indígena, Instituto Agrario Nacional, Caracas, agosto de 1971-marzo de 1974.

[89] *Unidad Indígena,* mensual del CRIC, núm. 8, Colombia, octubre de 1975, p. 2.

[90] *Ibid.*

[91] *Conclusiones del I Congreso de Movimientos Indios de América del Sur,* Ollantaytambo, Perú, 1980.

nos por considerarnos irracionales, incapaces de resolver nuestros propios problemas".[92]

—falta de participación de los indios en los programas que les conciernen: "En la política indigenista que se ha desarrollado, no se ha considerado la participación de los indígenas a quienes directamente afecta toda acción dirigida a su medio."[93]

—reivindicación de la dirección de la acción indigenista: "Que las instituciones encargadas de realizar las tareas de acción indigenista sean dirigidas por indígenas."[94]

—inercia del aparato indigenista: "FUNAI tiene que ayudar. Siento mucho las masacres que se oye hablar en la radio: violencias, quitar la tierra, desplazar a la gente... Los misioneros defienden a los indios, pero es la FUNAI que debería hacerlo."[95]

Algunas de estas citas ilustran el rechazo a la política indigenista tal y como existe en la actualidad. La acción indigenista es por definición la acción de los no indios y no tiene en cuenta las aspiraciones de los indios, sino que más bien sirve a los no indios mismos. Ante la incapacidad demostrada por las instituciones gubernamentales, los indios toman conciencia de su situación de oprimidos y explotados en cuanto indios. En la segunda parte de este estudio, examinaremos esta toma

[92] Galdino Perfecto Carmona, coordinador de la Comisión Permanente del Consejo Nacional de Pueblos Indígenas, México. Discurso de clausura del II Congreso de Pueblos Indígenas, 27 de febrero de 1977. Citado por Félix Báez-Jorge, *op. cit.*, p. 61.

[93] *Conclusiones del Encuentro Nacional de Promotores Culturales y maestros bilingües,* Vicam, estado de Sonora, México, mayo de 1976.

[94] *Ibid.*

[95] "II asamblea de jefes indígenas", Cururu, Pará, del 8 al 14 de mayo de 1975, en *Vozes* núm. 3, 1976.

de conciencia mediante el análisis de los congresos indios y de sus textos.

4. *Conclusiones*

La primera observación que se desprende del estudio de la política indigenista es su denuncia sistemática por parte de los concernidos. En primer lugar, se la acusa de haber sido concebida por los no indios, con el objetivo oficial de favorecer a los indios, pero sin tomar en cuenta sus reivindicaciones propias. Una política pensada por los no indios, que tienen una visión del mundo distinta y viven otra realidad y, en consecuencia, no pueden abarcar el problema en todas sus facetas.

Humanista y romántico en sus comienzos, el indigenismo afirmó su integracionismo al plantear el problema no sólo en términos humanitarios sino en términos políticos. La "conquista" adoptó entonces otra máscara: el indio será "conquistado" pacíficamente, mediante una política estudiada específicamente para tal fin. Los indigenistas partieron de la idea de que ellos poseían la verdad y que "los otros" tenían que integrarse a su sistema, mejor dicho, asimilarse a él. En la mayoría de los casos, este occidentalocentrismo conduce al etnocidio y en el peor de los casos, al genocidio.

Mediante unas cuantas mejoras de tipo material, el indigenismo quiere difundir entre las poblaciones indias (pero también entre los no indios) una ideología que no es otra sino la de las clases dominantes. Es por ello por lo que va tan ligado al proceso de modernización del capitalismo (Perú, Ecuador, México, etc.) y en épocas más recientes a la ideología de la Seguridad Nacional (Brasil, Colombia).

En nuestra opinión, al tratar de integrar a los indios a la llamada sociedad nacional, la política indigenista es contraria a un desarrollo que no sea el centralizado, que va del centro a la periferia, lo que corresponde exactamente a un colonialismo interno, prolongación del periodo colonial. Este colonialismo interno únicamente puede favorecer la "cultura de defensa" y la resistencia de los pueblos colonizados, quienes en la actualidad construyen sus propios aparatos ideológicos de contra-estado, a través de organizaciones políticas que desde hace una decena de años se han ido formando y han ido creando las bases de una nueva ideología: el indianismo.

Este ensayo se sitúa en el punto de mutación entre lo que ya podemos denominar "antiguo indigenismo" y "nuevo indigenismo", surgido en México durante los últimos años y que se afirmó en ocasión del VIII Congreso Indigenista Interamericano de Mérida en 1980, del que hemos hablado anteriormente. Una vez más, el indigenismo demuestra una vitalidad considerable, junto con una gran capacidad de adaptación a situaciones nuevas. Las reivindicaciones indias expresadas a través de las organizaciones y la teoría antropológica se recuperan ideológicamente. El indigenismo es capaz de reconocer la fuerza social de los pueblos indios, su especificidad y sus potencialidades incluso con más rapidez que los partidos y los sindicatos no indios y entiende que es conveniente hacer algunas concesiones para que el sistema dominante pueda perpetuarse sin mayores sobresaltos...

2. LOS MOVIMIENTOS INDIOS

Los movimientos indios jalonan toda la historia colonial y republicana de América, bajo forma de levantamientos organizados o de revueltas populares recurrentes.

En este capítulo estudiaremos la evolución de los movimientos y de la organización india en varios países de América Latina: Bolivia, Perú, México, Colombia, etc. Ciertamente, no es éste el esquema más apropiado, puesto que algunos movimientos se refieren a la época colonial, como el de Tupac Amaru, del que hablamos cuando hicimos referencia al Perú aun cuando este país todavía no se había constituido en estado independiente de España. Hemos procedido de esta forma para facilitar el estudio de los movimientos, evitando la dispersión en muchos capítulos. Sin embargo, somos conscientes de que esta división es arbitraria y no debe empañar la repercusión continental de algunos movimientos, cuya amplitud supera con creces los límites fronterizos establecidos después de la independencia.

No nos detendremos en demasía sobre la historia de los movimientos indios, puesto que ésta ha sido ya objeto de estudio y no haríamos sino repetir investigaciones que ya se han hecho sobre el tema (reconocemos, sin embargo, que este tipo de estudio ha sido ignorado, y de forma voluntaria, por la sociedad criolla). Nos ha parecido más novedoso ocuparnos de la época actual, de la organización política india más reciente.

I. BOLIVIA

El movimiento más significativo de la época colonial fue el de Tupac Katari y su mujer, Bartolina Sisa. Este líder aymara se levantó en armas en 1782. Formó un ejército de 80 000 hombres y logró mantener el asedio de La Paz. Detenido en Achacachi, fue descuartizado. En Bolivia, su recuerdo es tan vivo como el de Tupac Amaru en el Perú.

Según Juan José Vega,[1] Tupac Katari llevó a cabo una segregación a ultranza contra criollos, mestizos y quechuas, en un intento de "aymarización" de la población, aunque, siempre según el mismo historiador, su actitud fue cambiando. La oposición entre quechuas y aymaras era antigua; en la actualidad, se diría que ha desaparecido, gracias a la continentalidad de los movimientos indios. Los quechuas-aymaras están unidos en la lucha contra el colonialismo de los estados-nación latinoamericanos.

Más adelante, tanto los movimientos indios como las organizaciones campesinas, culturales o sindicales, adoptarán con frecuencia el nombre de Tupac Katari.

En la primera parte de este ensayo, hemos hablado del proceso de despojo sufrido por las comunidades, que se vieron obligadas a vivir en las tierras más pobres. En Bolivia, en 1847, había 478 000 comuneros, repartidos en 11 000 comunidades. En 1930, sólo quedaban 50 000, repartidos en 502 comunidades.[2]

[1] Juan José Vega, "Tupac Amaru, Tupac Katari, Tomás Katari: las rivalidades entre los caudillos rebeldes durante el alzamiento tupacamarista", en *Congreso Internacional de Historia de América,* Lima, 1971, p. 157.

[2] Jean-Pierre Lavaud, "La mobilisation politique du paysannat bolivien", en *Revue Française de Sociologie,* octubre-diciembre de 1977, vol. XVIII, núm. 4, pp. 625-649.

El I Congreso Nacional Indígena de 1945, convocado por el gobierno y presidido por el indio Chipana Ramos, causó una agitación general en el Altiplano. Los responsables de la organización del congreso suscitaron levantamientos en varias regiones (Ayopaya, La Paz, Cochabamba, Potosí) que fueron salvajemente reprimidos y varios centenares de indios fueron encarcelados.[3]

La llegada al poder del Movimiento Nacional Revolucionario (MNR) marca un hito en la movilización rural. Los indios se sindicalizan masivamente en el seno de organizaciones campesinas y después de la revolución de 1952, la formación de milicias armadas consolidaría el apoyo al MNR. Recordemos que, además, se otorgó el derecho de voto a los analfabetos.

El desarrollo de la organización sindical rural da como resultado la creación de la Confederación Sindical de Campesinos de Bolivia, de signo oficialista. La Ley de Reforma Agraria de 1953, firmada por el gobierno de Paz Estenssoro, suponía un progreso inmediato en el nivel de vida de las masas rurales. Así es como más adelante, pudo instaurarse el Pacto Militar-Campesino, por el cual el ejército se comprometía a "proteger" a los campesinos de peligros exteriores. A todas luces, este pacto entre el gobierno y las masas campesinas tenía como finalidad la división de los movimientos populares, enfrentando a campesinos y obreros. El intento por parte de las autoridades de recuperar las masas rurales, no las ha protegido de las masacres. Las más recientes son la de la Noche de San Juan, el 23 de junio de 1968 en la región minera, y la de Tolata en enero de 1974.

Es necesario detenernos ahora en la figura de un

[3] *Ibid.*

indio que puede considerarse el ideólogo originario de los movimientos indios andinos contemporáneos: Fausto Reinaga, el primer verdadero ideólogo del indianismo. Reinaga preconiza la "revolución india" en la línea de pensamiento del escritor peruano Luis E. Valcárcel quien, cuarenta años antes, en su libro *Tempestad en los Andes* habla en tono profético del "indio nuevo", de "resurgimiento incaico", de "resurrección india". Para Reinaga, indianidad y occidentalidad se oponen en los términos más duros. La toma de conciencia de la indianidad ha de ser el motor de la revolución india que restaurará el "poder indio".

Fausto Reinaga trató de lanzar un Partido Indio y el 1 de enero de 1970 firmó en Tiwanaku el Manifiesto del Partido Indio de Bolivia. Para él, la lucha es de razas, entre la india y la blanca, la revolución india contra la civilización occidental. Su idea de Partido Indio prácticamente no tuvo ecos concretos, seguramente por el idealismo excesivo, pero los escritos de Reinaga han ejercido su influencia sobre los nuevos ideólogos de los movimientos indios más radicales, como el MITKA (del que hablaremos más adelante) o el MIP (Movimiento Indio Peruano, del que hablaremos en el inciso dedicado a Perú), que retoman los temas andinos del Tawantinsuyu,[4] del socialismo indio, etc., pero en un tono menos provocativo que en Reinaga, cuyos escritos ponen en evidencia el odio de raza y constituyen uno de los ejemplos

[4] El Tawantinsuyu era el nombre del imperio inca, dividido en cuatro partes: Chinchaysuyu al norte, Kollasuyu al sur, Antisuyu al este, Kuntisuyu al oeste, siguiendo dos diagonales imaginarias que se cruzaban en el Cuzco, capital del imperio. Esta división corresponde a una concepción del espacio según la cual el Cuzco era el centro del mundo y a una organización rígida y centralizada (cada división se dividía a su vez, etc.).

más extremos de defensa del indianismo. Este odio visceral, solamente comparable al odio que algunos blancos sienten por los indios, no podía constituir la base de una alternativa política viable. Hay que reconocer, sin embargo, que la violencia del discurso de Reinaga era necesaria para provocar en los indios una toma de conciencia.

A raíz del Congreso de Campesinos de Potosí, en 1971, se creó la Mink'a. En sus comienzos, se utilizó como instrumento de concienciación de la población india y ha seguido luchando después contra el control disfrazado de la natalidad en las comunidades indias, contra el proyecto de Banzer de instalar en algunas regiones de Bolivia colonos blancos traídos de Sudáfrica, por el reconocimiento oficial del aymara y del quechua...

En los últimos años se han multiplicado las organizaciones culturales y políticas que se interesan por la realidad india de Bolivia. El gobierno del MNR fundó la Universidad Popular Tupac Katari, hoy desaparecida.

El Centro Cultural Tupac Katari, fundado en 1971, nació de un programa popular que Radio Méndez emitía en aymara. Esta emisión fue recuperada por el gobierno de Banzer en Radio Progreso.[5]

Hay otras organizaciones que llevan el nombre de Tupac Katari, como por ejemplo, la Confederación Campesina Tupac Katari. Esta diseminación del movimiento indio en multitud de organizaciones e instituciones podría poner en peligro la unidad de la fuerza social que representa.

El Centro de Coordinación y Promoción Campesina Mink'a suscribió el Manifiesto de Tiahua-

[5] Javier Albo, *Achacachi: medio siglo de lucha campesina*, La Paz, CIPCA, núm. 19, 1979, p. 123.

nacu, el 30 de julio de 1973, junto con el Centro Campesino Tupac Katari, la Asociación de Campesinos Indios de Bolivia y la Asociación Nacional de Profesores Campesinos. Podemos comprobar que lo único indio que tienen los signatarios del Manifiesto es el nombre de Tupac Katari. Son ante todo asociaciones campesinas que plantean sus problemas en términos de "campesinado" y no de "indianidad". Sin embargo, el hecho de que se refieran a los campesinos quechuas y aymaras constituye un preludio al desarrollo de la organización india. El Manifiesto denuncia "la falta de participación real de los campesinos quechuas y aymaras en la vida económica, política y social del país", pone de relieve el "despertar de la conciencia campesina". "Las culturas quechua y aymara han sufrido siempre un intento sistemático de destrucción".

"Todo movimiento político que realmente quiera ser liberador para el campesinado, deberá organizarse y programarse teniendo siempre en cuenta nuestros valores culturales..." [6]

Considerando que "la única solución está en la auténtica organización campesina", el Manifiesto de Tiahuanacu insiste sobre la alianza entre campesinos, mineros, obreros de las fábricas y de la construcción, empleados, etc... para lograr "la grandeza de nuestra patria".[7]

El Manifiesto de Tiahuanacu plantea el problema en términos de "liberación campesina" y no de "liberación india", como en la actualidad lo hace el Movimiento Indio Tupac Katari (MITKA). Las alusiones al indianismo únicamente se refieren a la cultura, y sin embargo, este documento plantea problemas reales en el campo de la eco-

[6] Manifiesto de Tiahuanacu, La Paz, 30 de julio de 1973.
[7] *Ibid.*

nomía, la educación y la cultura y constituye una etapa importante en el desarrollo de los movimientos indios.

Para el MITKA la visión del problema es muy diferente: su denuncia se dirige al "nacionalismo colonialista". Se considera el representante de las nacionalidades autóctonas y plantea el problema en términos de "liberación nacional" y de "descolonización", La "nación" boliviana es un artificio que se nutre de la desintegración de las comunidades indias. Este movimiento se apoya ideológicamente en el indianismo, la filosofía de "la vida en comunión con la naturaleza como forma de civilización y cultura" y postula "un estado boliviano basado en la confederación de sus naciones reales que libre y voluntariamente conformen un estado plurinacional y pluricultural".[8]

Según el MITKA, no es posible identificar al indio con la clase campesina, sino con una nación oprimida y colonizada que tiene que liberarse. En Bolivia el problema indio toma dimensión nacional y el MITKA se autodefine movimiento de liberación nacional. Creado en 1978, en sus comienzos atribuyó una importancia fundamental al racismo que padecen los indios y, en consecuencia, la mayoría de los partidos políticos y de los sindicatos lo consideran un movimiento exclusivamente racista. Sin embargo, la denuncia del racismo no es suficiente para darle ese calificativo. El MITKA denuncia una situación que tiene sus raíces en el proceso de colonización y que se apoyó en el racismo contra los indios para consolidarse. En el caso de Bolivia, el racismo es particularmente fuerte, debido a que la mayoría de la población es india, de ahí tam-

[8] Artículo del MITKA en *Presencia,* La Paz, 25 de mayo de 1978.

bién la importancia que los ideólogos de este país atribuyen al factor racial. En el caso del MITKA, sería más exacto decir que se trata de un movimiento nacionalista cuyo objetivo final es la toma del poder.

El 9 de julio de 1978, por primera vez, el MITKA se presentó a las elecciones presidenciales y a las elecciones para el Congreso, consiguiendo un porcentaje del 0.71%, es decir, un total de 13 281 votos, de los cuales 11 555 en La Paz.[9] Con el mismo candidato, Luciano Tapia Quisbert, participó en las elecciones del 1 de julio de 1979, recogiendo 28 344 votos, es decir, un sufragio superior al 2%, con 16 557 votos en La Paz.[10] En un año, es un progreso considerable. Desgraciadamente, poco tiempo después el MITKA sufrió una escisión y el sector que decidió seguir las directrices originales establecidas en 1978 tomó el nombre de MITKA-1, presentándose a las elecciones presidenciales del 29 de junio de 1980. Su candidato, Constantino Lima, obtuvo 17 023 votos. El antiguo candidato, Luciano Tapia, apoyó el golpe de Natush Bush en diciembre de 1979, alejándose del MITKA auténtico, y se presentó a las elecciones bajo la bandera del MITKA, creando la confusión en torno al movimiento.[11] Con la ventaja de ser ya conocido del electorado antes de la escisión, pudo recoger 15 852 votos. A la vista de los resultados, nos parece evidente que los electores cayeron en la confusión provocada entre MITKA-1 y MITKA. El resultado total, 32 875 votos, demuestra que, sin la escisión, el MITKA hubiera progresado notablemente. Sub-

[9] Jean-Pierre Lavaud, "Bolivie, la démocratie entrevue", *N.D., La Documentation Française,* Problèmes d'Amérique Latine, núm. 4545-4548, 18 de diciembre de 1979, p. 32.

[10] *Ibid.* p. 49.

[11] *Presencia,* 11 de julio de 1980.

rayemos que es el único movimiento indio en toda América Latina que se ha presentado a unas elecciones generales y los resultados demuestran que en Bolivia el movimiento indio tiene buenas perspectivas.

Después del golpe de estado de García Meza, el MITKA-1 ha entrado en la clandestinidad, afectado por las infiltraciones y divisiones que ha sufrido, como sucede en muchos partidos de América Latina, y también por la inestabilidad política del país y el personalismo de algunos dirigentes. Algunos grupos y personas de ideología totalmente diferente se reclaman del MITKA, aumentando la confusión alrededor del movimiento (en 1980, a raíz del golpe de García Meza, corrió el rumor de que el MITKA lo apoyaba. En realidad, el MITKA auténtico, MITKA-1, tuvo que clandestinizarse y muchos de sus dirigentes han tenido que huir).

Es muy probable que los progresos registrados por el MITKA entre 1978 y 1979 hayan preocupado a los enemigos del movimiento indio, quienes han hecho lo imposible por debilitarlo. También es posible que el dar más importancia a la raza que a las alternativas que los indios pueden ofrecer, haya provocado un fenómeno de rechazo entre los no indios e incluso en algunos sectores indios. Esto explica en parte porqué el Movimiento Revolucionario Tupac Katari (MRTK), de creación algo posterior al MITKA y de tendencia campesina, haya encontrado un eco más favorable entre los campesinos. Por otra parte, el MITKA tiene una implantación más fuerte en La Paz que en el campo, el MRTK, en cambio, recoge las preocupaciones de la población campesina dándoles su dimensión india. Si pensamos en la tradición boliviana de luchas campesinas y en el desarrollo del sindicalismo campesino en este país especialmente después de la reforma agraria de 1953, comprenderemos porqué el MRTK prefiere dar tanta importancia a la dimensión campesina de la población india, preconizando, además, la alianza con los mineros. Por su parte, éstos adquieren una conciencia cada vez más clara de su indianidad, pero son relativamente privilegiados con respecto a los demás. El MRTK acepta las alianzas, como lo demuestra su participación en la coalición de la izquierda con Siles Suazo para las elecciones del 1 de julio de 1980, y forma parte de la COB (Central Obrera Boliviana). Su dirigente es Genaro Flores.

En la actualidad, el movimiento indio boliviano parece estar dividido ideológica y estratégicamente. El MITKA se dirige a todos los sectores indios oprimidos, a la nación india llamada a instaurar el nuevo poder, sustituyendo a la minoría no india y racista. Esta postura se explica por el alto porcentaje de población india en el país y por la explotación y opresión que padece, pero a pesar de los progresos, se diría que el mensaje indianista aún es difícil de captar y aunque se aceptan algunas de sus ideas, no parece posible que represente una alternativa el discurso "campesinista" que, al parecer, en la actualidad se capta mejor. A pesar de ello, hay que reconocer que, de no haber reivindicado su dimensión india, el MRTK no hubiera progresado como lo ha hecho.

En cuanto a los partidos políticos, su indiferencia ante la cuestión india únicamente es comparable a la discriminación que sufre el indio: en Bolivia los partidos no se adaptan a la realidad del país. Para ellos, y especialmente para los de izquierda, el indio es un campesino que tiene que someterse a la vanguardia obrera, a los mineros en el caso de Bolivia. Los indios, por su parte, no se identifican con una izquierda demasiado orientada hacia el obrerismo y el mundo urbano. El sector minero, que es minoría con respecto al sector campesino (aunque la producción de estaño representa el porcentaje más alto del PIB), es de vital importancia para los partidos y esta postura demuestra el predominio del factor económico sobre el factor humano. Hay que reconocer, sin embargo, que los mineros son muy combativos y su participación ha sido decisiva en más de una ocasión pero, por otro lado, no se puede olvidar que los campesinos son mayoría y las estrategias de los partidos los relegan en un segundo plano. En este sentido, la creación del MRTK responde a la necesidad de los campesinos de organizarse en cuanto indios, aun sin la pretensión de llevar la pauta de la lucha, mientras que el MITKA, por el contrario, pretende unir en la causa india a los campesinos y a los obreros y también a aquellas categorías sociales que puedan identificarse con ella.

La clase política tradicional ignora la indianidad también porque entre sus dirigentes casi nunca figuran los indios. De ahí que su análisis sea insuficiente y que los indios hayan ido tomando conciencia de su indianidad orientándose hacia posturas más o menos radicales. Esta situación es peculiar de Bolivia, donde el movimiento indio puede apoyarse en una mayoría.

Si pretende convertirse en un movimiento realmente unificador y representativo de todas las poblaciones indias del país (es posible, en teoría, puesto que éstas son mayoría absoluta) el movimiento indio de Bolivia tendría que replantear sus estrategias. La situación creada por el golpe de estado de julio de 1980, podría quizá favorecer alianzas que en otro momento no hubieran sido posibles. Además, tiene que evitar los defectos que se observan habitualmente en los partidos tradicionales; a saber: divisionismo, sectarismo, personalismo. A la vista de las últimas experiencia, esta revisión sería sumamente saludable para un movimiento que en Bolivia tiene un terreno favorable y que convendría cultivar.

II. PERÚ

Durante la época colonial surgieron varios movimientos, algunos de ellos de considerable envergadura; recordemos, por ejemplo, el de Juan Santos Atahualpa (1742) en las montañas de Huánuco, Tarma y Jauja; el de José Gabriel Tupac Amaru (1780-1781) en el Cuzco; el de Felipe Velasco Tupac Inca Yupanqui (1783) en Huarochirí.

Una de las constantes de estos levantamientos era la restauración del imperio inca: Vélez de Córdoba, por ejemplo, declaraba ser descendiente de los soberanos incas, lo mismo que Juan Santos, líder del levantamiento de los campas. En cuanto a Tupac Amaru, su idea no era la reconstrucción del Tawantinsuyu, sino la creación de un "Perú Nuevo",[12] en el que criollos, negros, mestizos e indios integrasen una nación nueva y única. Según Boseslao Lewin, Tupac Amaru es un precursor de la independencia. Según Daniel Valcárcel, el objetivo de Tupac Amaru no era la independencia, sino la moralización administrativa, el final de los repartos injustos, la abolición de los corregidores y la creación de una Audiencia en el Cuzco.[13]

Jean Piel, por su parte, considera que Tupac Amaru formaba parte de aquella aristocracia india

[12] Juan José Vega, *Tupac Amaru, Tupac Katari...* cit., p. 156.

[13] Daniel Valcárcel, *Rebeliones indígenas,* Lima, PTCM, 1946.

que sintiendo próxima la emancipación, quería encontrar en sus orígenes incaicos, reales o míticos, la justificación de un nacionalismo quechua "naciente".[14]

En su estudio sobre un levantamiento campesino en Tocroyoc (Perú) en 1921, Jean Piel menciona algunos eslóganes como "¡Abajo el gamonalismo!", "¡Vivan los campesinos!", "¡Viva el Tawantinsuyu!". También Mariátegui denunció el "gamonalismo". El tema del Tawantinsuyu expresa la esperanza del regreso a la unidad perdida, tema siempre presente en la mitología india. Un ejemplo de él es el mito quechua y aymara del Incarri: la cabeza del Incarri está enterrada en el Cuzco, pero sus miembros están dispersos; cuando el cuerpo del Incarri se reconstituya, el imperio inca resurgirá. Tupac Katari dijo: "Mañana volveré y seré millones." En la actualidad, el tema del retorno tiene plena vigencia y ocupa un lugar preferente en encuentros y congresos.

El levantamiento de Teodomiro Gutiérrez Cuentas, llamado Rumi Maqui, marca el comienzo del siglo (1915, Puno): ante los abusos de los grandes propietarios, los gamonales, Rumi Maqui no encuentra otra solución sino el resurgimiento del Tawantinsuyu. El Tawantinsuyu sigue siendo una fuente de inspiración primordial para los movimientos indios actuales de los Andes peruanos, así como para los movimientos bolivianos. El Movimiento Indio Peruano (MIP, hoy prácticamente desaparecido después del Congreso del Cuzco en 1980), se creó en 1974 y su objetivo era la construcción de un segundo Tawantinsuyu: "El Movimiento Indio Peruano no es un partido político

[14] Jean Piel, "Évolution historique des communautés indiennes du Pérou", *N.D., La Documentation Française*. Problèmes d'Amérique Latine, XX, 5 de julio de 1971.

al estilo tradicional, antes bien, un estado de conciencia, la expresión doctrinaria de una nacionalidad —la india— y la vanguardia revolucionaria que defiende a los ayllus, que exige el gobierno en Consejos, y que lucha abiertamente por la implantación de un segundo Tawantinsuyu." [15]

El MIP publicaba un boletín oficial *Ñoqanchis,** que desapareció a causa del aumento de precios. La revista que publicó después, *Asíes,* tuvo difusión en Lima y en el centro del país.

Para el MIP, la construcción del segundo Tawantinsuyu requería la formación y difusión previas de una verdadera conciencia histórica y la lucha se situaba tanto en el terreno ideológico como en el político: hay que enfrentarse al Occidente con una estructura coherente de principios filosóficos; para liberarse, el indio tiene que conocer su propia historia, conocer el funcionamiento de los ayllus, saber cómo se organizan los gobiernos en Consejos. La conciencia histórica es de importancia vital y a partir de ella se construye una conciencia ideológica coherente que abre el camino hacia la conciencia revolucionaria. El indio podrá analizar su condición en términos objetivos y descubrir su propia nacionalidad.

El segundo Tawantinsuyu será un "socialismo de inspiración incaica",[16] puesto que "nuestra razón de ser desde el fondo de los siglos es una razón colectivista".[17]

[15] Guillermo Carnero, "¿Qué es el movimiento indio?", en *Cuadernos Indios* núm. 1, p. 3.

* Nosotros en quechua.

[16] Virgilio Roel Pineda, *Nuestra ideología. Los sabios y grandiosos fundamentos de la indianidad,* en CADAL, doc. núm. 3, México, septiembre de 1977, p. 65.

[17] Guillermo Carnero Hoke, extracto de un artículo publicado en *Ñoqanchis* núm. 2, junio de 1977, en CADAL, cit. p. 56.

La estrategia del MIP consistía ante todo en la concienciación, en la búsqueda de la identidad nacional india y en la lucha ideológica contra el Occidente. Su acción inmediata era la labor ideológica necesaria para formar la base del movimiento indio, condición necesaria para llevar a cabo la reconquista india: "A occidente lo vamos a derrotar nosotros los indios con las ideas, principios y doctrina de nuestros abuelos del Tawantinsuyu."[18]

El gran defecto del MIP era una base demasiado pequeña, que además fue reduciéndose alrededor de dos personas: Guillermo Carnero Hoke y Virgilio Roel. Tenía adeptos a nivel regional (Arequipa, Ayacucho, Apurimac), pero insuficientes para formar un movimiento que representara una alternativa. Por otra parte, el movimiento era demasiado intelectual y no pudo subsistir. Sin embargo, los antiguos seguidores del MIP han ido orientándose hacia otras organizaciones, de carácter regional en la mayoría de los casos. El MIP quería representar el movimiento indio a nivel nacional, pero no contaba con bases reales para ello.

Se diría que en la actualidad la mayoría de los movimientos indios peruanos se dedican a una labor ideológica en zonas bien definidas: Puno, Cuzco, Arequipa (Movimiento Indio Pedro Vilca Apaza), Ayacucho (Comunruna), Lima (Consejo Regional "Poder Indio" Kuntisuyu), Valles de Oxapampa-Palcazu-Pichis-Chanchamayo (FECONAYA: Federaciones de Comunidades Nativas Yaneshas-Amueshas), etc. . . y su implantación sigue siendo muy localizada. Sin embargo, el proyecto político de algunos de ellos no deja de ser ambicioso: "Nuestra NACIÓN ANDINA MAYORITARIA de

[18] Guillermo Carnero Hoke, en *Cuadernos Indios,* cit., p. 15.

base social OBRERO, COMUNERO, CAMPESINO, cuyos territorios trascienden las fronteras colonialistas de PERÚ, ECUADOR y BOLIVIA y que fueron marcadas con sangre RUNACUNA..." [19]

El tema del Tawantinsuyu constituye un elemento de unión porque pertenece a la memoria colectiva e histórica de los pueblos andinos y puede ser acogido favorablemente por ellos porque se remonta al origen de la colonización: la desmembración del imperio inca. Para ciertos europeos puede parecer un lenguaje demasiado idealista, pero no deja de ser cierto que toca la sensibilidad de los pueblos andinos.

Del 2 al 5 de noviembre de 1979 tuvo lugar en el Cuzco lo que se denominó "Primer Encuentro de las Nacionalidades y Minorías Nacionales",[20] organizado por la CCP (Confederación Campesina del Perú) al que asistieron delegados quechuas, aymaras, chipibos, amueshas y aguarunas (estos tres últimos grupos pertenecen a la Amazonia) y varias federaciones sindicales peruanas y bolivianas. Se trataron los temas de los derechos de los pueblos y de la autonomía, denunciando el sistema capitalista y se llegó a la conclusión de que es imposible desarrollar la cultura, el idioma y las instituciones indias sin antes resolver el problema económico. Por este último detalle podemos darnos cuenta de que el encuentro no fue organizado por indios, puesto que para ellos el problema cultural y nacional tiene igual o mayor importancia que el económico. Si el problema es nacional, la solución ha de ser integral y no parcial. Aunque en él so-

[19] Extracto de un cartel de Comunruna confeccionado para el bicentenario 1780-1980 de los levantamientos de Tupac Amaru y de Tupac Katari titulado: ¡¡¡Causachum Liberación Nacional Comunruna!!!

[20] DIAL, núm. 593, 24 de enero de 1980.

lamente se discutiese una parte de los problemas, este encuentro significa una "apertura" de un sector de la izquierda, aun cuando el sindicato que lo organizó trató de imponer sus propias estrategias (en primer lugar, el problema de clases). A pesar de todo, algunos indios lo consideran un intento para recuperar la fuerza social que representan.

El Congreso de Allantaytambo, celebrado en marzo de 1980 (y del que hablaremos más detalladamente en las páginas siguientes) fue organizado por movimientos indios. A él asistieron representanets indios de todo el continente y su repercusión fue mucho más amplia.

Veamos ahora cómo se organizan los grupos indios de la selva, pues en el Perú hay dos tipos de movimientos:

— Las organizaciones andinas que históricamente se refieren al imperio inca y cuya descendencia reivindican;

— las organizaciones de la selva, para las cuales remontarse al Tawantinsuyu es históricamente imposible, pues el imperio inca trató de someter a sus pueblos. Éste es quizá el motivo de cierta desconfianza hacia los indios de la sierra, descendientes del incanato. Además de las razones históricas, estas organizaciones difieren por el entorno geográfico, un menor desarrollo de sus fuerzas productivas y una política indigenista distinta que hacia los andinos. El gobierno de Velasco Alvarado promulgó una ley destinada a las comunidades nativas, por la cual los grupos étnicos de la selva adquirían autonomía administrativa jamás vista antes.

De hecho, los indios de la selva disponen de una base jurídica que les permite organizarse mejor que los de la sierra. Son organizaciones regionales biétnicas o multiétnicas: en 1980, el Consejo Aguaruna y Huambisa, por ejemplo, estaba integrado por 98 comunidades legalmente reconocidas, situadas en el noroeste del Perú, cerca de la frontera con Ecuador. Esta organización empezó a desarrollarse en 1976 y en 1977 se constituyó en Consejo: "El Consejo Aguaruna y Huambisa ha surgido de la necesidad de unificar las acciones de toda la Aguarunía en favor de su autonomía y desarrollo." [21]

En resumen, los objetivos del Consejo son los siguientes:

– unificar las acciones de todas las unidades regionales que componen estos grupos étnicos;

– estudiar y definir claramente cuáles son las verdaderas necesidades de la Aguarunía;

– transmitir las experiencias positivas y hacer un análisis de las experiencias negativas de cada unidad regional;

– emprender nuevas acciones de desarrollo en común;

– imponer los criterios de desarrollo que deben seguir las instituciones de apoyo;

– ser el elemento que refuerce la propia identidad étnica;

– ser el portavoz hacia el exterior;

– lograr una red de información.[22]

Al igual que en otras regiones, el problema más grave para los grupos de la selva es la tierra, "uno de los que más afecta al presente y al futuro de las comunidades",[23] con todo su corolario, como es el problema de la titulación de las comunidades nativas, una de las mayores preocupaciones para los grupos étnicos de la selva, tanto más ahora

[21] Consejo Aguaruna Huambisa, Napuruka, 10 de junio de 1979. Documento CADAL, diciembre de 1979.

[22] *Ibid.*

[23] *Ibid.*

cuando los grandes proyectos de desarrollo propiciados por el gobierno de Belaúnde Terry los amenazan directamente. Si no se procede a la delimitación legal de sus tierras prevista por la Ley de Comunidades Nativas, no tendrán ninguna defensa contra la penetración de los colonos y de las empresas peruanas o extranjeras. Un ejemplo: después de un viaje realizado en la región de Valle Palcazu-Pichis, Belaúnde Terry anunció que esa región se transformaría en zona de producción de alimentos para Lima y en la región donde viven 6 000 indios amueshas y campas se instalarían unos 10 000 colonos. Para los indios, etnocidio y proletarizacion están garantizados de antemano, además. muchas comunidades no han recibido su legalización, por lo que la ocupación de sus tierras por los nuevos colonos resultará mucho más fácil...

Las conclusiones del X Congreso de las Comunidades Nativas Amueshas y Campas, convocado en julio de 1978 en San Pablo de las Cuatro, daba una importancia fundamental a la titulación y delimitación de las comunidades para "evitar la usurpación y atropellos de colonos que en forma abusiva y prepotente tratan de invadir nuestros territorios comunales". Otros problemas tratados en este congreso: la comercialización de productos y artesanías, la salud de las comunidades nativas, la ampliación del territorio comunal, la educación (sistema bilingüe), la moralización de las autoridades a favor de las comunidades nativas, en fin, la invasión de recursos naturales (dentro de las comunidades).

Los grupos étnicos de la selva no tienen las ambiciones de reconquista ni de "liberación nacional" que podemos observar en los movimientos andinos, defienden más bien la autonomía étnica regional en el ámbito de la legalidad. En efecto, los pueblos de la Amazonia nunca conocieron una organización comparable al Tawantinsuyu, al contrario, lucharon contra su expansión. En la actualidad, sus problemas están delimitados a nivel de sus comunidades, un regionalismo que se justifica por una población escasa y muy diseminada, que dispone de pocas vías de comunicación. No obstante, el desarrollo de las organizaciones lleva consigo la toma de conciencia de los problemas de otros grupos, el intercambio de información, el contacto con etnias diferentes, el intercambio de experiencias y, finalmente, el análisis de una problemática común. El resultado de todo ello es el deseo de "unión de los grupos étnicos a nivel nacional para poder presentarse como un tronco único en las relaciones con los demás grupos sociales e institucionales, tanto en el aspecto político como el económico".[24]

Al igual que en otros países, el objetivo de la mayoría de los movimientos indios del Perú es la unión en todo el país. Indudablemente, es más fácil la unión de los distintos grupos andinos por un lado, y de los movimientos de la selva, por otro, que la unión de estos dos sectores entre sí, dadas las diferencias geográficas, económicas, culturales e históricas. Los grupos de la selva, por ejemplo, sienten cierto rencor hacia el incanato y los movimientos andinos deberían de tener en cuenta este factor y no dar la sensación de querer integrarlos. Todos los elementos de diferencia deberán ser estudiados cuidadosamente a la hora de elaborar estrategias comunes.

[24] *Ibid.*

III. MÉXICO

En México, al igual que en los demás países, hubo numerosos levantamientos indios durante la época colonial. Citemos los de Chiapas, en 1524, contra los tributos y la imposición de la religión; en 1616, el levantamiento de los tepehuanes, estimulados por el recuerdo de sus dioses, contra el poder español. La insurrección de Tehuantepec, en 1660, contra los abusos de las autoridades españolas. En 1761, Canek, "el pequeño Moctezuma", quiso devolver la independencia a su pueblo...[25]

En el siglo XIX también hubo revueltas contra las leyes de reforma que despojaban a los indios de sus tierras. Muchas comunidades que durante la colonia habían mantenido su cohesión, fueron víctimas del proceso de privatización de la tierra.

La rebelión de los yaquis empezó en 1825 y duró casi un siglo (terminó en 1905, poco antes de estallar la revolución). En 1847, la rebelión indígena de Yucatán, dirigida por el maya Cecilio Chi, provocó la masacre de blancos de Valladolid. El siglo XIX quedará marcado por la "guerra de castas" contra las exacciones y las expoliaciones cometidas por los blancos.

El movimiento indio agrarista de Emiliano Zapata tuvo, como se sabe, resonancia nacional: con él, los indios participaron activamente en la revolución que, más adelante, logró restaurar los ejidos, una de las principales reivindicaciones del Plan de Ayala zapatista. Emiliano Zapata era miembro de la comunidad de San Miguel Anenecuilco (Morelos) y en 1909 fue elegido presidente del Comité de Defensa de la Comunidad. Otras comu-

[25] Vicente Casarrubias, *Rebeliones indígenas en la Nueva España,* Guatemala, Biblioteca de Cultura Popular, Ministerio de Educación Pública, 1951.

nidades se le unieron para recuperar las tierras ocupadas por las haciendas.[26]

En el periodo que siguió a la revolución, no podemos hablar de movimientos indios propiamente dichos, puesto que los diferentes grupos se integraron en organizaciones oficiales como por ejemplo la Confederación Nacional Campesina (CNC) cuyo objetivo era la unión de los campesinos para apoyar al gobierno. En los años 30, el gobierno de Cárdenas contó con el apoyo de los indios y de las organizaciones campesinas, pues en aplicación de la reforma agraria, durante su mandato se repartieron grandes extensiones de tierra; cada año se elegía un "comisariato ejidal", órgano representativo de los ejidos a nivel local y, a través de él, los ejidatarios tenían representación en la CNC. A nivel nacional, la voz india seguía siendo esencialmente campesina. Habrá que esperar hasta el año 1974 para que los indios se expresen en cuanto tales, por lo menos a nivel regional.

El Congreso Indígena de San Cristóbal (estado de Chiapas)[27] es un ejemplo del deseo de los indios de organizarse a nivel regional, iniciativa difícil en un país como México donde el nacionalismo oficial (que también se nutre de la lucha de los indios especialmente a través de la figura de Zapata), dificulta la formación de un verdadero nacionalismo indio, sin olvidar, además, la variedad de etnias: en México existen 56 grupos lingüísticos diferentes. El congreso fue auspiciado por el gobierno y por el Comité Fray Bartolomé de las Casas; a él asistieron varios centenares de indios provenientes, en su mayoría, de la región maya (tzeltales, tzotziles, tojolabales, choles, etc.)

[26] Eric Wolf, *Las luchas campesinas del siglo XX*, México, Siglo XXI, 1972, pp. 13-76.

[27] 13 al 16 de octubre de 1974.

y se trataron los problemas de la tierra (conflictos agrarios, intervención del ejército), del racismo, el salario mínimo para los trabajadores indios tanto en las haciendas como en la ciudad, la necesidad de crear organizaciones, el comercio (traficantes, acaparadores, etc.). Los delegados exigieron ocuparse ellos mismos de la venta de sus productos, a un precio justo y garantizado, eliminando los intermediarios; se exigió una educación impartida por instituciones indígenas, el respeto a las costumbres de las comunidades, a la medicina ancestral, etcétera.

A raíz de este congreso el INI amplió su acción a los zoques, a los tojolabales y a los choles, mientras que antes se ocupaba esencialmente de los tzeltales y de los tzotziles. También a raíz del congreso surgió una nueva política inspirada por Velasco Suárez y ya en 1975 aumentó el número de promotores sociales; en el campo se multiplicaron las sucursales de la Secretaría de la Reforma Agraria; el IMSS construyó clínicas y escuelas-albergues. La fuerza social de los indios empezaba a ser evidente y era necesario englobarlos en organizaciones oficiales, para controlarlos.

A raíz del Primer Congreso de Pueblos Indígenas (Pátzcuaro, 1975), organizado por la CNC, el INI y la SRA y presidido oficialmente por Luis Echeverría, presidente en funciones, se creó el Consejo Nacional de Pueblos Indígenas, organismo a la cabeza de una estructura basada en los Consejos Supremos de los diferentes grupos étnicos, los cuales, a su vez, se basan en los consejos locales de cada comunidad.[28] El CNPI cuenta con una comisión permanente que actúa de coordinadora. De hecho, la finalidad del CNPI es canalizar los movimientos

[28] Andrés Medina, "Los indios", en *Siete ensayos sobre indigenismo,* cit., p. 25.

indios, así como el sindicalismo oficial controla los movimientos obreros y campesinos. Las conclusiones de este primer congreso del CNPI, en el que participaron miembros de 54 grupos étnicos, son en realidad la exposición de peticiones concretas referentes a los sectores económico (tenencia de la tierra, agricultura, ganadería, comercio, etc.) educativo y cultural. La Carta de Pátzcuaro, dirigida a la comunidad nacional, resalta la activa participación de los indios en la historia del país, participación que la comunidad nacional no reconoce, pues lo único que pretende es integrar las diferentes etnias destruyendo su especificidad. Los indios reclaman el derecho a la autodeterminación de sus propios gobiernos y a organizarse según sus tradiciones: "Al mismo tiempo que exigimos el respeto a la autodeterminación y a todo lo que configura nuestra personalidad como pueblos, aceptamos lo positivo que la sociedad nacional nos ofrece; las tradiciones libertarias del pueblo mexicano son también nuestro patrimonio, porque de una u otra forma hemos contribuido a ellas."

La Carta insiste también sobre la necesidad de "un mayor y decidido esfuerzo en la reforma agraria integral", "el máximo impulso a la acción educativa de acuerdo a métodos bilingües, la voluntad de aprovechar en las mejores condiciones sus recursos naturales", etc. Finalmente: "Denunciamos ante la nación y en la forma más enérgica a la institución que con mayor agudeza nos oprime: el cacicazgo,[29] en todas sus manifestaciones económicas, sociales, políticas y represivas."

El II Congreso del CNPI se celebró en Santa Ana Nichi (estado de México), en 1977. Sus conclusio-

[29] "Caciquismo" o "cacicazgo": forma de control del poder político y económico en favor de una persona o de un grupo determinado.

nes constituyen un programa de desarrollo de las poblaciones indígenas del país, con la premisa de "la participación plena de las comunidades indígenas en su propio desarrollo".

Entre las reivindicaciones, figura cada vez con más frecuencia el deseo de una mayor participación en el propio desarrollo y también, como podemos comprobar por las conclusiones del III Congreso del CNPI (ciudad de México, julio de 1979) el cuestionamiento de modelos impuestos, porque el desarrollo capitalista deteriora la ecología y los recursos naturales no renovables, en una palabra, pone en peligro la existencia misma de las comunidades indias: "El destino de los pueblos indígenas está siendo suprimido por un modelo de desarrollo que aplica la ciencia y la tecnología con una mentalidad capitalista, impulsada por los intereses económicos y políticos ajenos a las realidades populares, se subastan y explotan irracionalmente los recursos naturales del país, deteriorando salvajemente nuestro medio ecológico." [30]

El tono se endurece: ya no es suficiente enumerar los problemas, hay que denunciar el sistema que los crea. La voluntad de participación también es más insistente, convirtiéndose en el deseo de tener el poder de decisión: "Si el INI es para los indígenas, debe ser manejado por los propios indígenas y que no solamente se debe pensar en la participación, sino ahora en la dirección de las instituciones al servicio del indígena."

En los últimos años, las reclamaciones del CNPI se han ido haciendo cada vez más duras: se denuncia la represión contra los indios, se exige la liberación de los campesinos detenidos en los conflictos agrarios. Estos son los titulares de *De Pie y en*

[30] III Congreso del CNPI, 1979, conclusiones.

Lucha, (publicación del CNPI, junio, 1980): "A la opinión pública: ¡Alto a la represión y al genocidio contra los indígenas! Masacres y atropellos a la orden del día en casi todas las comunidades. Acabar con los indios: consigna de caciques y terratenientes... Luchar contra el *apartheid* en África, pero también aquí: Llamado a la solidaridad de la clase obrera."

El CNPI, aunque creado desde arriba, no es incondicional del gobierno. Su espíritu crítico se manifiesta cada vez más abiertamente y a medida que el problema indio se va agudizando, busca una autonomía cada vez mayor. Por ejemplo, criticó duramente la nueva Ley de Desarrollo Agropecuario, promulgada en febrero de 1981, que afecta a los ejidos y a las comunidades indias, explicando los peligros que la nueva ley encierra para los grupos étnicos del país (véase primer capítulo).

Dada su estrecha relación con el gobierno, el CNPI no puede sobrepasar ciertos límites, pero es cierto también que tiene un margen de acción bastante amplio y sobre todo, cierto poder de negociación: puede denunciar abusos, formular exigencias, y el gobierno está en la obligación de escucharle. A pesar de ello, nos preguntamos hasta qué punto es válida la representatividad de una organización creada por instancias oficiales y qué relación puede tener con la base. Hay 56 Consejos Supremos, uno para cada grupo étnico, pero han sido impuestos verticalmente y su base social no parece consistente. Por otra parte, su creación responde más al deseo de control político sobre una masa de posibles electores, que a una verdadera organización de pueblos indios. En el estado de Chiapas hay 11 Consejos Supremos, de los cuales únicamente el de los tzeltales parece ser realmente representativo. Los 4 Consejos Supremos del estado de México (mazahua, tlahuica, otomí y matlazinca), también parecen tener una base india real. El 8 de julio de 1979, estos cuatro grupos firmaron el Pacto de Temoaya (estado de México) para el reconocimiento de un estado multiétnico y de un lugar político para los indios en las estructuras del estado; propone además que las comunidades, municipalidades, distritos y estados con mayoría india sean gobernados por los indios mismos; la descolonización de la enseñanza por la instauración de una educación bicultural bilingüe y la legalización de las lenguas autóctonas a nivel nacional o regional. El pacto exige también la expulsión del Instituto Lingüístico de Verano y la creación de un Instituto de Lenguas Mexicanas. Finalmente, recuperación de las tierras indias, que ya no podrán ser entregadas a individuos sino a la comunidad, y el control de los recursos naturales que puedan existir en ellas. La Declaración de Temoaya o Pacto del Valle Matlazinca, se pronuncia por la afirmación de la conciencia étnica y por la recuperación de la historia.

Los Consejos Supremos del estado de México son especialmente activos: es probable que la proximidad de la capital provoque una afirmación étnica más rotunda. En los últimos años han conseguido del gobierno la construcción de dos centros ceremoniales: el Centro Ceremonial Mazahua y el Centro Ceremonial Otomí, que consideran como conquistas.

El Consejo Supremo Mazahua es muy activo, no solamente a nivel local (creación de un Centro Cultural Mazahua que edita sus propias publicaciones, organiza manifestaciones culturales, etc.) sino también internacional (encuentro con los chicanos en julio de 1980, declaraciones de solidaridad con otros pueblos indios de las Américas, etc.).

La Alianza Nacional de Profesionales Indígenas Bilingües, asociación civil (ANPIBAC) que representa 22 000 maestros y promotores bilingües, es otra organización "oficial" que va marcando distancias respecto al gobierno. Creada en 1976, la ANPIBAC fue legalizada como asociación civil en 1977. En sus encuentros (Vícam, Sonora, mayo de 1976; México, D. F., junio de 1977; Oaxtepec, Morelos, junio de 1979) observamos cómo la organización va radicalizando su discurso y al mismo tiempo amplía sus objetivos (I Congreso de la ANPIBAC, octubre de 1980). Al principio se limitaba a una labor puramente gremial, pero pronto se dio cuenta de que el problema educativo no podía deslindarse de la situación de explotación, opresión y discriminación que vive la población india. En 1979, durante el I Encuentro de Maestros Bilingües en Oaxtepec, la ANPIBAC reconoció que los maestros bilingües habían sido hasta entonces responsables de la extinción de las culturas y de las lenguas autóctonas y vehículos de la castellanización. Había que adoptar una nueva estrategia educacional: la educación indígena tenía que contribuir al desarrollo y a la identificación étnica, a la revalorización cultural y a la participación política. El encuentro de Oaxtepec demitifica la enseñanza bilingüe con vistas a la castellanización que se había practicado hasta entonces. De ahora en adelante, los indios elaborarían su propio sistema de enseñanza:

"... con el desarrollo del sistema capitalista en nuestro país, desde la creación del Servicio[31] nosotros los maestros bilingües y promotores culturales hemos sido preparados para desempeñar el papel de intermediarios entre la sociedad nacional

[31] Se trata del Servicio de Educación Indígena.

y los grupos étnicos; entre la cultura occidental y la cultura indígena; hemos sido medianamente capacitados para desarrollar programas que responden a las necesidades y exigencias del sistema educativo nacional y no a las necesidades y características sociales, lingüísticas, económicas y culturales de la población indígena; hemos sido preparados para trabajar en función de los intereses del estado y no de las comunidades indígenas".[32]

La ANPIBAC denuncia también la función que le había sido confiada en el proceso de colonización cultural y reivindica una educación bilingüe-bicultural que favorezca la liberación de los pueblos indios. En su declaración "a las organizaciones indígenas de América", el 20 de junio de 1980, la ANPIBAC decía:

"La Alianza Nacional de Profesionales Indígenas Bilingües, a.c., integrada por la mayoría de maestros y promotores indígenas bilingües del país, surge en 1976 con los propósitos de luchar por la reivindicación de los derechos e intereses de las comunidades indígenas, de fortalecer y afirmar las relaciones interétnicas a nivel nacional e internacional, y por el convencimiento de que la liberación del indio habrá de darse con la participación y lucha consciente de los propios indígenas apoyados en la identidad étnica, en la realidad histórica de cada país y el mundo, y en la solidaridad con los grupos obreros y campesinos que luchan por su emancipación."

Al instrumentar su propia educación, los maestros y promotores bilingües quieren difundir una ideología distinta de la oficial: ya no se limitan al nivel estrictamente educacional, sino que trans-

[32] I Congreso de la ANPIBAC, Los Remedios, Ixmiquilpan, Hidalgo, octubre de 1980.

forman su actividad en un instrumento político de concienciación con vistas a la descolonización y a la liberación. La ANPIBAC es consciente de que su labor es fundamental para el desarrollo de los movimientos y de las luchas indias y la educación bilingüe-bicultural puede ser un arma de lucha y no de opresión. En la actualidad, la Asociación está elaborando un método general para una educación indígena bilingüe-bicultural basada en la recopilación de información y en la integración de resultados.

Desde hace dos o tres años, en México se está desarrollando un movimiento indio "independiente" (del gobierno) paralelo al oficial y que se caracteriza por la proliferación de organizaciones tanto étnicas como "campesinistas".

No es de extrañar que en un país como México las organizaciones oficiales, aun teniendo cierto margen de acción, no resulten apropiadas para los sectores más radicales, que defienden la autonomía de los movimientos reivindicativos frente al gobierno, y se formen organizaciones que parten de la base, de la lucha concreta. En la actualidad, las organizaciones indígenas y ejidales se forman en las regiones más conflictivas: Michoacán, Guerrero, Oaxaca y Chiapas, por ejemplo, donde el problema de la tierra y la represión siguen vigentes (y no solamente del ejército, también hay "guardias blancas", milicias particulares organizadas por los terratenientes), respondiendo también a la expansión del capitalismo en regiones que hasta ahora habían quedado más o menos intactas. En el estado de Chiapas, por ejemplo, se enfrentan intereses múltiples: industria maderera, energía hidroeléctrica, ganadería y, últimamente, el petróleo. A todo esto hay que añadir la militarización de la zona para proteger esos intereses de conflictos muy violentos y de la proximidad con Guatemala, donde las luchas populares provocan la afluencia de refugiados.

En todas las regiones donde la población es mayoría india y campesina se observa el fenómeno de las organizaciones independientes: pueden ser monoétnicas, como por ejemplo el CODREMI (Comité de Defensa y de Desarrollo de los Recursos Naturales de la Región Mixe, Oaxaca); biétnicas: ODRENASIJ (Organización de Defensa de los Recursos Naturales y para el Desarrollo Social de la Sierra de Juárez, estado de Oaxaca, una asociación civil de pueblos zapoteca y chinanteco); multiétnicas, por ejemplo "Kiptik ta Lecubtesel", que en tojolabal significa "Unidos por nuestra fuerza", en la región de Ocosingo, estado de Chiapas, que reagrupa a tojolabales, tzeltales, tzotziles, choles y también campesinos no indios; el Consejo de Pueblos de la Montaña de Tlapa, estado de Guerrero, representa un mínimo de 284 000 indios nahuas, mixtecos, tlapanecos y amuzgos.

Paralelamente a estas organizaciones étnicas, se forman otras, más clasistas, que dan prioridad al factor económico, es decir, la tierra. Podemos observar una proliferación de Uniones de Ejidos (Unión de Ejidos "Tierra y Libertad", Unión de Ejidos "Lucha Campesina") que pueden unirse en la "Unión de Uniones", como en el estado de Chiapas, por ejemplo. Esta Unión de Uniones no acepta ningún tipo de ayuda del gobierno, en tanto no se haya reconocido el derecho de los campesinos a la propiedad legal de sus tierras.[33] Hay otros tipos de uniones: de comuneros (Unión de Comuneros "Emiliano Zapata"), de pueblos (Unión de Pueblos del estado de Morelos), uniones ejidales,

[33] *Unomásuno*, 12 de febrero de 1981.

etc. La COCEI (Coalición Obrero, Campesino, Estudiantil del Istmo) es una organización fundamentalmente zapoteca, etcétera.

Como podemos apreciar, estas organizaciones nacen de la base y no por iniciativa de las altas esferas (como el CNPI y la ANPIBAC) y parten de problemas concretos que, por lo general, se refieren a la tierra, de ahí su carácter "campesinista". Las primeras son de carácter más étnico y plantean la solución a breve plazo de problemas socioeconómicos: recuperación de sus recursos naturales, delimitación de las comunidades, es decir, la recuperación de su medio y de *su* región en una perspectiva de futuro. A largo plazo, son conscientes del papel que han de asumir a la hora de presentar nuevas alternativas tanto a nivel nacional como mundial, a partir de sus críticas a la civilización occidental. Para ello, necesitan desarrollarse y más adelante, establecer relaciones con los demás grupos con vistas a la unión de todas las organizaciones independientes. En muchos países, la unión representativa a nivel nacional es uno de los principales objetivos y en México se han hecho varios intentos en este sentido. El Encuentro de Organizaciones Indígenas Independientes, celebrado del 4 al 7 de octubre de 1980, reunió en Puxmetacan, región mixe, Oaxaca, las delegaciones de 13 grupos étnicos mexicanos, así como delegaciones de Centroamérica miembros del CORPI. Durante este encuentro, se discutió el problema de la tenencia y explotación de las tierras comunales, se exigió la titulación o confirmación de los bienes comunales. Se discutió igualmente el problema de la explotación de recursos naturales y de la represión, denunciando asesinatos y detenciones: "Hacemos un llamado a todas las comunidades indígenas del país para que aceleren su organización local sobre problemas muy concretos que tengan, con el objeto de que podamos afrontar debidamente organizados todos los actos de represión y despojo." [34]

El II Encuentro de Organizaciones Indígenas Independientes de México, Centroamérica y el Caribe se celebró del 5 al 8 de marzo de 1981 en la comunidad purépecha de Cherán Asticurín, estado de Michoacán, por iniciativa de la CORPI. Asistieron representantes del CMPI, delegados de Centroamérica y un representante del CISA.[35] El objetivo de estas jornadas era la creación de una comisión que pudiese reagrupar las organizaciones indígenas independientes a nivel nacional. Se creó así la primera "Comisión Promotora Nacional de Organizaciones Indígenas Independientes", formada por trece grupos, entre ellos, la Unión de Comuneros "Emiliano Zapata"; el Comité de Defensa y de Desarrollo de los Recursos Naturales de la Región Mixe, Oaxaca; la Unión de Pueblos de Morelos, etc... Es un esfuerzo encaminado a lograr la unión nacional de las organizaciones independientes, que no se presenta fácil dadas las dificultades de comunicación entre los distintos grupos étnicos por su misma diversidad y debido también a la dificultad que supone sobrepasar el marco de preocupaciones puramente locales.

Si queremos sintetizar las tendencias del movimiento indio actual en México, podemos distinguir dos grandes grupos:

– movimiento indio "oficial";

[34] *Conclusiones del Encuentro de Organizaciones Indígenas Independientes,* Puxmetacan, región mixe, Oaxaca, 4-7 de octubre de 1980.

[35] CORPI (Coordinación Regional de Pueblos Indios de Centroamérica). CMPI (Consejo Mundial de Pueblos Indígenas). CISA (Consejo Indio de Sudamérica).

— movimiento indio "independiente" (del gobierno).

Tanto los oficiales como los independientes tienen una estrategia de alianzas y el factor común es la defensa prioritaria de sus intereses étnicos. En cuanto a las reivindicaciones, éstas se refieren principalmente a la tierra (en las organizaciones independientes, más clasistas, las referencias a la revolución son constantes: la figura de Emiliano Zapata o consignas como "Tierra y Libertad", etc.), al respeto a la cultura y a la especificidad étnica (defensa de la educación bilingüe-bicultural), abolición de los abusos, de la corrupción y de la represión (las denuncias de las organizaciones independientes son más decididas), la eliminación del caciquismo, la defensa de los recursos naturales...

A diferencia de los indios de Perú y Bolivia, los de México no reivindican la toma del poder a nivel nacional; su objetivo es la decisión a nivel de comunidades y regiones étnicas, es decir, disponer de un espacio político que no cuestiona el poder central. La reclamación de la autonomía, cuando existe, es mucho menos enérgica que las reivindicaciones agrarias, más urgentes, o la exigencia de participar en todos los sectores relacionados con la cuestión india.

Si por una parte, en las organizaciones independientes observamos la voluntad de construir una organización representativa a nivel nacional partiendo de bases reales, por otra, observamos que las organizaciones oficiales quieren adquirir precisamente esa base real de que carecen y sus posturas son cada vez más radicales y menos oficialistas: el radicalismo verbal de la ANPIBAC, por ejemplo, es paralelo a la búsqueda de una autonomía real frente al gobierno.

Sin duda, la existencia de organizaciones oficiales ha propiciado el desarrollo de las independientes, que no quieren tener relación alguna ni con el INI ni con otros organismos estatales y acusan al CNPI de ineficacia. La existencia misma de las organizaciones independientes puede presionar tanto al INI como al CNPI y a la ANPIBAC para que, poco a poco, vayan distanciándose de las directrices del gobierno, optando por una verdadera autonomía. En la actualidad, las dos vertientes del movimiento indio tienen una función: los independientes representan la expresión directa de la base y pueden ser catalizadores; los no independientes, aprovechar el margen de acción de que disponen en su calidad de interlocutores del gobierno y exigir medidas concretas. Pueden conseguir concesiones que los independientes considerarán insuficientes, pero que no dejarán de ser avances que contribuirán a la toma de conciencia de los mismos pueblos indios.

IV. COLOMBIA

Las luchas campesinas en Colombia son mucho más largas y violentas que en otros países y su tradición es tanto más fuerte cuanto que los terratenientes han tratado siempre y por todos los medios de defender sus intereses, por ello, las luchas indias colombianas están muy próximas a la lucha de clases.

El despojo de las tierras indias por parte de los terratenientes, después de la venta de los resguardos en aplicación de las leyes liberales importadas de Europa, provocó una presión creciente sobre la tierra de los campesinos en general y de los indios en particular. La reacción india estalló en la segunda década del siglo xx: Manuel Quintín Lame, jefe paez, tomó conciencia de que los conquistadores españoles no eran los propietarios legales de la tierra y esgrimiendo la Ley 89 de 1890, según la cual había que respetar la tierra de los resguardos arrebatados a los indios, entabló la lucha contra los terratenientes seguido por los 30 000 indios de Tierradentro. Quintín Lame fue detenido no menos de cien veces y su resistencia y valor pronto lo convirtieron en un símbolo mesiánico y caudillista. Su sueño era crear la "República Chiquita", al margen de la república de los blancos, de la que él mismo sería el Cacique General.[36] Luchaba contra las autoridades locales, pero creía en las nacionales y poco antes de que le detuviesen de nuevo, en 1917, tomó partido en las elecciones por los liberales. Quería que los indios recuperasen sus tierras, pero también quería que recuperasen una parte del poder usurpado por los blancos y que estuviesen presentes en el Congreso Nacional. En 1919 fue elegido jefe de los Cabildos[37] Indígenas de Pitayo, Cajobio, Pandinguando, Puracé, Poblazón, Jambalo, Toribio, etcétera.[38]

Según algunos autores, Manuel Quintín Lame no proyectó su lucha a nivel nacional e ignoró la lucha de clases. . . En nuestra opinión, estas críticas no tienen en cuenta el contexto en que el mo-

[36] Diego Castrillón Arboleda, *El indio Quintín Lame*, Bogotá, Ed. Tercer Mundo, Colección Tribuna Libre, 1973.

[37] "El Cabildo es la máxima autoridad en las comunidades, está compuesto por un gobernador principal y un gobernador suplente y le siguen otras autoridades como alcaldes, alguaciles y fiscales con sus respectivos suplentes que representan cada vereda del resguardo." Del periódico del CRIC *Unidad Indígena*, año 2, núm. 10, enero de 1976, p. 4.

[38] Diego Castrillón Arboleda, *op. cit.*

vimiento se desarrolló. En primer lugar, el concepto de lucha de clases, importado de realidades europeas y producto de situaciones diferentes, no podía ser motivo de lucha para los indios de la época, puesto que su problema primordial era el despojo de sus tierras, por tanto, la desintegración de sus comunidades, y no solamente la pérdida de un medio de producción. El hecho de luchar para recuperar las tierras de los resguardos hace que el movimiento de Quintín Lame sea netamente indio. Era la época de expansión del capitalismo y de la formación del proletariado. Según Pierre Gilhodes, las primeras organizaciones campesinas aparecieron especialmente en 1918 y las primeras manifestaciones agrarias aparecen relacionadas con disturbios urbanos; los dos centros de agitación rural eran las plantaciones de plátano de la United Fruit Company en la región de Santa Marta y las plantaciones de café en el valle del río Bogotá.[39] Los obreros agrícolas se habían organizado por problemas de tipo económico y por tanto la lucha de clases les tocaba más directamente que a los indios del Tolima o del Cauca. Éstos adquirirán conciencia de clase un poco más tarde, gracias a la acción de José Gonzalo Sánchez, y en la actualidad, con el CRIC, pero siempre será un problema secundario respecto a la reafirmación de la indianidad.

El movimiento indio de Manuel Quintín Lame tenía como objetivo la autonomía local y nunca pretendió transformarse en un movimiento nacional, debido quizá a que en aquella época las demás organizaciones populares no tenían el desarrollo suficiente como para ofrecer posibilidades de alianza, como es el caso ahora entre el CRIC

[39] Pierre Gilhodes, *Las luchas agrarias en Colombia*, Medellín, Ed. La Carreta, 1976, 3a. ed., p. 32.

y la ANUC (Asociación Nacional de Usuarios Campesinos).

Manuel Quintín Lame representa una etapa histórica en el movimiento indio de Colombia y sin duda su lucha ha contribuido a consolidar la combatividad de los indios de este país.

Su colaborador, José Gonzalo Sánchez, fue, junto con Eutiquio Timoté, el promotor del Consejo Supremo de Indios que comprendía los resguardos de Natagaima, Coyaima, Yelu, Yaguara, Coguan y las delegaciones del Huila y del Cauca. José Gonzalo Sánchez se convirtió al socialismo revolucionario y más tarde fue el primer secretario del Partido Comunista Colombiano;[40] de esta forma, el movimiento indio entraba en el ámbito de la lucha de clases.

La época de la "violencia" (entre 1947 y 1958, aproximadamente) acentúa el carácter clasista de las luchas agrarias. Para constituir las "repúblicas independientes" (zonas de autodefensa campesina), el Partido Comunista Colombiano se apoya sobre gran parte de la población india. La guerrilla que surgió como reacción a la represión contra las zonas de autodefensa tomó el nombre de FARC (Fuerzas Armadas de la Revolución Colombiana). Su programa es ante todo agrario y pretende "el respeto a la propiedad indígena y el derecho de expresión autónoma".[41]

Pierre Gilhodes explica que los campesinos implicados en la guerrilla son esencialmente los de las regiones de frontera agrícola y de zonas pioneras y "la población indígena que desde hace siglos

[40] J. Gonzalo Sánchez, *Las ligas campesinas en Colombia*, Bogotá, Ed. Tiempo Presente, 1977, p. 27.

[41] Christian Gros, *Les mouvements sociaux paysans dans le sud-est colombien (Valle Cauca-Nariño)*, CNRS, Documento de Trabajo núm. 2, París, 1976.

lucha en defensa de sus tierras, de sus tradiciones y de sus costumbres".[42]

Durante décadas, después del movimiento de Quintín Lame, el movimiento indio quedó englobado en las luchas agrarias. La ANUC, creada por el gobierno de Lleras Restrepo, por Decreto 755 del 2 de mayo de 1967 para apoyar la reforma agraria, muy pronto se radicalizó en la lucha por la tierra y adoptó una postura cada vez más crítica hacia la reforma agraria. En 1971, el CRIC se integra en la ANUC como Secretaría Indígena de la organización sindical. Esta unión responde a la radicalización de la ANUC, por una parte, y por otra a toda una serie de recuperaciones de tierras, sin precedentes en el país, violentamente reprimidas por el gobierno. De esta forma, el movimiento indio se unía formalmente a los campesinos pobres y de clase media, a los jornaleros, etc. Por su parte, la ANUC reconoce la especificidad del movimiento indio, incluyéndolo en su programa de lucha que quiere "asegurar a nuestros hermanos indígenas su progreso y realización integral, mediante el otorgamiento de tierras y devolución de las que han sido violentamente arrebatadas por los latifundistas y el estado. Contribuir eficazmente a la modernización de los sistemas de cultivo, educación, sanidad, técnica y respeto y estabilización de la organización de sus cabildos, costumbres, lenguaje y arte popular".[43]

El Cauca constituye una de las pocas regiones colombianas que ha conservado una fuerte tradición comunitaria en los territorios de los resguar-

[42] Pierre Gilhodes, *Politique et violence. La question agraire en Colombie. 1958-1971*. Cahiers de la Fondation Nationale des Sciences Politiques, 191, París, 1974, p. 401.

[43] *Conclusiones del III Congreso de la ANUC*, 31 de agosto al 4 de septiembre de 1974.

dos; fue el escenario del movimiento de Quintín Lame y la tradición de las reivindicaciones indias es larga. El 24 de febrero de 1971 se creó en Toribio el Consejo Regional Indígena del Cauca (CRIC). El consejo publica un periódico mensual, *Unidad Indígena,* y su programa se resume en los siguientes puntos:

– recuperar las tierras de los resguardos;
– ampliar los resguardos;
– fortalecer los Cabildos;
– no pagar terrajes;[44]
– hacer conocer las leyes sobre indígenas y exigir su justa aplicación;
– defender la historia, la lengua y las costumbres indígenas;
– formar profesores indígenas que enseñen de acuerdo con la situación de los indígenas y en sus lenguas respectivas.[45]

El CRIC formó parte de la ANUC hasta 1977; hasta entonces, su programa no preveía la lucha aislada, al contrario, durante el III Congreso Nacional Campesino (Bogotá, 31 de agosto de 1974), refiriéndose al desarrollo de la organización india, tanto la ANUC como el CRIC declaraban: "en el futuro habrá que llegarse a una organización indígena a escala nacional que, dentro del seno de la ANUC, oriente las acciones de este sector específico", puntualizando que "no queremos llegar a una unificación forzada desde arriba que desconozca las grandes diferencias entre los distintos grupos, tribus y hasta naciones...".

Durante algunos años, la ANUC y el CRIC lucharán juntos. En agosto de 1974, se celebró en Toez el

[44] "Terraje": pago efectuado por el indio al terrateniente (en trabajo o productos) por el arrendamiento de la tierra (usurpada a las comunidades).

[45] *¿Cómo nos organizamos?*, Cuartilla del CRIC núm. 1, Popayán, Cauca, febrero de 1973, p. 25.

IV Congreso del CRIC. Como respuesta a este congreso, se creó el Consejo Regional de Agricultores del Cauca (CRAC), organización de terratenientes, para contrarrestar las luchas indias. Para *Unidad Indígena,* con la creación de esta organización, "el gobierno declara la guerra al CRIC": "Los politiqueros y el representante del gobierno del presidente López, vinieron a dar el apoyo a los terratenientes del CRAC y a desatar la persecución..." [46]

El CRIC tendrá que luchar contra la recrudescencia de la represión tanto por parte del gobierno (militarización de zonas indias) como por parte de los terratenientes (aumento de los asesinatos cometidos por los "pájaros", matones a sueldo) y también contra el intento por parte de la ANUC de hacer desaparecer el movimiento indio en cuanto tal englobándole en un partido político, la Organización Revolucionaria del Pueblo (ORP). Según el CRIC, la ORP no respondería a los intereses de los pobres del campo y su plataforma no guardaría relación alguna con las luchas campesinas, tal y como han ido desarrollándose; acusa también a la ANUC de actitud conciliadora hacia los planes del gobierno, lo que explica la presencia de muchos campesinos ricos en la Asociación. Ante la manipulación del movimiento indio por parte de la ANUC, el CRIC prefiere retirarse: "Mientras la ANUC como organización gremial representó los intereses del campesinado, nuestra organización participó en ella, pero a partir de este IV Congreso se ha convertido en una organización política y consideramos que nuestros intereses como indígenas-campesinos no están allí representados." [47]

[46] *Unidad Indígena,* año I, núm. 8, octubre de 1975, p. 4.
[47] Tomala, 25 de febrero de 1977. *Unidad Indígena,* año 3, núm. 20, marzo de 1977, p. 9.

La ruptura con la ANUC no hace cambiar la estrategia de alianzas entre el CRIC y otras organizaciones. Durante su V Congreso, celebrado en marzo de 1978, el CRIC reafirmaba su adhesión a la estructura comunitaria de propiedad de la tierra y de organización social, dando un lugar preferente a las alianzas con otros sectores explotados: "Cada vereda, cada comunidad, cada resguardo, debe apoyar masivamente para recuperar las tierras. Y en las zonas urbanas unirnos con la gente pobre para recuperar."

"Es necesario establecer relaciones con los obreros y campesinos, de manera que podamos fortalecer la lucha por la tierra." [48]

En el aspecto político, el CRIC no reivindica la independencia en términos de liberación nacional, sino una liberación regional en régimen de autonomía dentro del ámbito de la nación colombiana. Los indios de Colombia son conscientes de ser una minoría, pero exigen que se les respete en cuanto pueblos diferenciados y reivindican la autogestión de los Cabildos sobre los resguardos, de los cuales reclaman la recuperación total: "Lo que debe hacer el gobierno es reconocer nuestro derecho a nuestros territorios, a nuestras autoridades y organizaciones, a nuestras tradiciones y costumbres. Reconocer nuestro derecho a la autonomía. Nuestro derecho a seguir siendo lo que somos. Nuestro derecho a que no se acabe nuestra gente, nuestro nombre, nuestros pueblos." [49]

Después de su ruptura con la ANUC, la represión del gobierno y de los terratenientes contra el CRIC fue aún más dura y últimamente, el Estatuto de

[48] *Conclusiones del V Congreso del CRIC, Unidad Indígena*, núm. 29, marzo de 1978.

[49] *Daclaración de los Cabildos de Jambaló y Sibundoy*, Documento CADAL, agosto 1979.

Seguridad promulgado en 1978 por Turbay Ayala permite la represión bajo pretexto de implicaciones con el Movimiento M-19. Los dirigentes del CRIC han sido detenidos, torturados y han comparecido ante tribunales militares. Por otra parte, el Estatuto del Indígena, promulgado recientemente, trata de conseguir que las organizaciones étnicas pasen bajo control del estado y que se suprima la Ley 89 de 1890 (véase primer capítulo).

Desde la entrada en vigor del Estatuto de Seguridad, la represión no ha tenido límites: violencia de militares y hombres a sueldo (los "pájaros") de los terratenientes, cuyo único deseo es la desaparición del CRIC; asesinatos (desde 1971, en el departamento del Cauca han sido asesinados cerca de 45 dirigentes indios), detenciones arbitrarias, allanamientos, acoso militar, disolución violenta de actos públicos legales, destrucción de cultivos y bienes...[50] Según el CRIC, el gobierno quiere "desindianizar" las comunidades, se les niega el derecho a organizarse y a desarrollar su propio proyecto de sociedad, para dejarlas inermes frente al sistema dominante representado esencialmente por los terratenientes de la región que de ningún modo quieren devolver los resguardos.

La organización india de Colombia se desarrolla también en otras regiones: Consejo Regional Indígena del Vaupés (CRIVA); Consejo Regional Indígena del Tolima (CRIT); Consejo Regional Arhuaco (que representa los grupos arhuacos y malayos de la Sierra Nevada). El UNUMA (reagrupa los guahibos del este de Colombia, del Meta y del Vichada) celebró su tercer congreso en Sarrurruba, en mayo de 1980: los delegados condenaron unáni-

[50] Caso del CRIC presentado ante el IV Tribunal Russel, Rotterdam, 1980. Conclusiones.

memente el Estatuto del Indígena e insistieron en la necesidad de defender la Ley 89 de 1890 que reconoce la autoridad de los Cabildos. El UNDICH (Unión de Comunidades del Departamento de Choco, hacia la costa pacífica), etcétera.

El objetivo común de todas las organizaciones es la unificación del movimiento indio a escala nacional, para enfrentarse con más fuerza a una represión cada vez más violenta y que precisamente quiere impedir esa unión. El I Encuentro Nacional Indígena se celebró en octubre de 1980 en el sur del Tolima; asistieron más de 300 delegados de todo el país y se tomaron acuerdos sobre los siguientes puntos:

— defender la Ley 89 de 1890 sobre reglamentación de las tierras pertenecientes a las comunidades;

— denunciar la acción de las instituciones oficiales y de las misiones, en especial, la acción del Instituto Lingüístico de Verano;

— conservar la cultura y defender la tierra, dos condiciones imprescindibles para la supervivencia de las comunidades.

Ahora esta unificación ya se ha realizado con la constitución de la Organización Nacional Indígena Colombiana (ONIC) que se llevó a cabo en el Primer Congreso Indígena Nacional de Colombia, cerca de Bogotá, del 24 al 28 de febrero de 1982, con la participación de 2 500 representantes indios de todo el país.

V. OTROS PAÍSES

1. *Guatemala*

En este país el porcentaje de población india es

el más alto de toda Centroamérica: el 65% de los guatemaltecos habla idiomas emparentados con el maya o directamente influidos por él.[51] Indudablemente, es en Guatemala donde la dicotomía indio/ladino se hace más evidente, pero también observamos que es el país en que la participación india en organizaciones de origen no indio (sindicatos de campesinos, guerrilla, etc.) es mayor. Son muy numerosos los indios que se integran a las organizaciones en lucha, especialmente armada, como por ejemplo la ORPA (Organización Revolucionaria del Pueblo en Armas) o el EGP (Ejército Guerrillero de los Pobres). Este último, reconoce explícitamente el problema étnico en Guatemala y el potencial revolucionario de la población india:

"...no es dable hablar en Guatemala de la existencia de una nacionalidad integrada. Los opresores de los indígenas guatemaltecos, los de antes y los de ahora, creyeron erróneamente que la servidumbre, la explotación o la marginación quebrantarían el espíritu de resistencia de los pueblos maya-quiché y que sus rasgos sociales y culturales desaparecerían con el tiempo y serían finalmente absorbidos y digeridos por el sistema. Profundo y fatal error; esas condiciones han acumulado y fortalecido los factores de identidad propia de los pueblos indígenas, y la acumulación de su sorda rebeldía ha venido aumentando, de tal manera que ahora su magnitud no sólo ya no puede ser ignorada, como factor catalítico, sino que se ha convertido además en un elemento decisivo para el futuro de nuestro país".[52]

[51] Michel Demyk, "Les populations indigènes du Guatemala. Indianité et indigénisme", *N. D., La Documentation Française,* Problèmes d'Amérique Latine, núm. 4366-4367, p. 69.

[52] "Manifiesto Internacional del EGP", en *El País,* Madrid, 26 de octubre de 1979.

El problema fundamental de los indios es la tierra que en la actualidad, además, ha experimentado una fuerte revalorización debido a un proyecto de construcción de carreteras que atraviesan zonas muy ricas en minerales. Los terratenientes, los militares y las compañías nacionales y extranjeras, secundados por el ejército, expulsan a los indios que habitan en la zona y que impiden sus planes de desarrollo. El 29 de mayo de 1978, un centenar de indios quichés, cuyas tierras habían sido expropiadas, fueron asesinados en Panzós (Alta Verapaz). Para el Frente Democrático contra la Represión, fue un genocidio y una masacre que marcaron el comienzo de una represión indiscriminada contra todos los sectores progresistas. Los cuarenta campesinos que perecieron en la embajada de España el 31 de enero de 1980, eran indios quichés de la región de Uspantán, departamento del Quiché, que reclamaban la creación de una comisión investigadora sobre los crímenes cometidos por el ejército contra su comunidad.

Por el momento, la lucha de los indios de Guatemala no tiene carácter nacionalista, sino que se inscribe en la lucha de todos los sectores progresistas contra la dictadura de Lucas García. Por esta razón, la integración a los grupos ya existentes es muy fácil, en especial a la guerrilla, debido al despojo de tierras.

Aunque la alianza entre indios y no indios permita alcanzar el objetivo común (la caída de la dictadura), podemos afirmar sin temor a equivocarnos que el antagonismo indio/ladino volverá a surgir, pues es demasiado profundo para que una situación coyuntural lo haga desaparecer, incluso con un cambio de estructuras. Hay que reconocer, sin embargo, que la izquierda guatemalteca es muy abierta y la ORPA, por ejemplo, se ha ocupado muy a fondo del problema étnico-político y del racismo en el país.

En la región de Quetzaltenango existe una burguesía india que ha sabido utilizar el sistema capitalista en su provecho, sin dejar de ser profundamente nacionalista, pero a pesar de su ascensión social, sigue sufriendo la discriminación cultural y política. Por una parte, su indianidad los identifica con los demás indios, pero por otra, su nacionalismo puede favorecer únicamente las clases indias más privilegiadas, sin aportar mejora alguna a la dramática situación en que vive la mayoría.

Los pueblos autóctonos de Guatemala tienen sus organizaciones, como el Ixim o las organizaciones de Comuneros, etc., pero se expresan sobre todo a nivel sindical, a través, por ejemplo, del Comité de Unidad Campesina (CUC) y otros organismos para la defensa de los intereses de los indios campesinos. El CUC forma parte del Comité Nacional de Unificación Sindical (CNUS). Podemos observar que en Guatemala no existe un movimiento indio a escala nacional, pero sí una participación cada vez más activa en organizaciones políticas y sindicales de origen no indio dirigidas, todavía, por no indios. . .

2. *Ecuador*

Un ejemplo original de organización india es la Federación de Centros Shuar. El primer encuentro de dirigentes shuars se celebró el 13 de enero de 1969 y a partir de él se crearon varios centros, reagrupados en la federación.

La colonización agraria dirigida por el Instituto Ecuatoriano de Reforma Agraria y Colonización (IERAC) y la instalación de varias misiones, crearon conflictos agrarios con el pueblo shuar, del grupo etnolingüístico jíbaro. Los conflictos derivaron hacia la resistencia, cultural en sus comienzos y más organizada después. La creación de la Federación Shuar equivale a la afirmación de "nación india". Desde que se creó, la federación ha recibido el apoyo de los intelectuales, de la Iglesia (especialmente los salesianos), de etnólogos y antropólogos.

"La Federación es la unión de las energías de un grupo de indígenas americanos, que quieren sobrevivir y afirmarse a pesar de una nueva situación ambiental que lo adversa por todos lados. Por lo tanto, el fin al que tiende es claramente uno: la autodeterminación del grupo Shuar en un nuevo concepto de estado ecuatoriano pluralista." [53]

Los shuars quieren emprender su propio desarrollo a partir de su cultura, sin despreciar las aportaciones occidentales, y mantener relaciones con el resto de la sociedad ecuatoriana. La federación mantiene contactos con organismos del gobierno como por ejemplo el IERAC o el CREA (Centro de Reconversión Económico del Azuay, Cañar y Morona Santiago). Su autonomía frente al gobierno central no es en absoluto separatista, por cuanto los shuars se consideran ecuatorianos, pero ante todo shuars. Como dice Roberto Santana, su reivindicación esencial es el pluralismo cultural en el ámbito del estado ecuatoriano y por ello rechazan todo proyecto que pueda significar el etnocidio del grupo.[54]

[53] *Solución original a un problema actual. Federación de Centros Shuar,* Sucúa, Ecuador, en CADAL, cit., 1977.

[54] Roberto Santana, "Le projet Shuar et la stratégie de colonisation du sudest équatorien", en *L'encadrement des paysanneries dans les zones de colonisation en Amérique Latine,* IHEAL, París III, núm. 32, París, 1978, p. 58.

La Federación de Centros Shuar es un ejemplo de autonomía relativa dentro de un país latinoamericano: planifica sus propios programas de educación y de sanidad, de desarrollo de la ganadería, de infraestructuras, etc. Junto con otras organizaciones indias, Federación de Organizaciones Indígenas del Napo (FOIN), Unión de Nativos de la Amazonia Ecuatoriana (UNAE), Federación Indígena de Pastaza (FECIP), etc., rechazó el decreto 3134-A, promulgado el 4 de enero de 1979 por el gobierno militar de Guillermo Rodríguez Lara, para la colonización del territorio shuar, lo que equivalía al etnocidio y a la negación del derecho a la autogestión. En espera de la derogación de este decreto, una colonización espontánea va penetrando en los territorios shuars que aún no han sido adjudicados legalmente.

En cuanto a sindicatos, el Ecuador cuenta, entre otras, con ECUARRUNARI, una organización creada en 1972, con apoyo de la iglesia católica que reagrupa a los campesinos indios. En las reivindicaciones campesinas, aparece a menudo junto a la Federación Nacional de Organizaciones Campesinas (FENOC).

Al igual que en otros países, el movimiento indio ecuatoriano trata de unirse a nivel nacional; ya se puede distinguir una organización estructurada en forma piramidal, en la que, a nivel amazónico, la Federación de Centros Shuar se integra a la Confederación de las Federaciones de Nacionalidades Indígenas de Amazonia. A nivel nacional, funciona un Consejo Nacional de Coordinación de las Nacionalidades Indígenas de Ecuador (CONACNIE) y se celebran encuentros, tanto regionales como nacionales. En octubre de 1980, tuvo lugar en Sucúa (provincia de Morona Santiago, territorio shuar) el Primer Encuentro de las Nacionalidades Indígenas de Ecuador.

3. *Otros países*

Por falta de material suficiente, no ha sido posible detenernos en todos y cada uno de los países de América Latina, aunque trataremos de completar este capítulo dando una visión general de cómo se desarrolla el movimiento indio en algunos de ellos, además de los que acabamos de analizar.

Brasil: el *leitmotiv* de las asambleas de jefes indios son las críticas a la FUNAI, los conflictos agrarios, los traslados forzosos, los asesinatos, despojos y todo tipo de exacciones que padecen los grupos autóctonos. Desde 1980, se va perfilando un comienzo de unión entre los movimientos indios: el 7 de junio de 1980, se creó en el Mato Grosso do Sul la Unión de Naciones Indígenas y su I Asamblea General se celebró en Aquidauana, MS, del 2 al 6 de mayo de 1981. Los objetivos de esta organización son promover la autonomía cultural y la autodeterminación de naciones y comunidades, así como la colaboración entre ellas; la recuperación de las tierras, su inviolabilidad y delimitación; la elaboración y realización de proyectos culturales y de desarrollo comunitario; el uso exclusivo de las riquezas naturales, etcétera.[55]

Panamá: el I Encuentro Nacional de dirigentes indios se celebró en diciembre de 1971 en la Universidad de Panamá. En este país hay 4 pueblos indios: los cunas, los chocoes, los teribes y los guaymíes y cada uno de ellos cuenta con organizaciones

[55] União das Nações Indígenas, *Proyecto de Estatuto*, Campo Grande, MS, 7 de junio de 1980.

étnicas. En lo que se refiere al último, el Congreso General Guaymí formó parte del comité organizador del Foro sobre el Pueblo Guaymí y su futuro, que se reunió en marzo de 1981.

Actualmente, el problema más grave que enfrentan los guaymíes es el proyecto de explotación de Cerro Colorado, la mayor mina de cobre conocida hasta hoy, y el proyecto hidroeléctrico de Teribe Changuinola, relacionado con ella. Al foro asistieron unos doscientos delegados, entre ellos, representantes indios y de organizaciones populares, así como de las iglesias. Las reivindicaciones principales fueron las siguientes:

— demarcación clara de la comarca india antes de entablar negociaciones sobre la futura actividad minera;

— reconocimiento del derecho de los indios a la autodeterminación, incluida la Carta Orgánica, documento que establece la utilización de las tradiciones de gobierno para asuntos internos;

— reconocimiento por parte de las iglesias y otros organismos que quieran colaborar con los pueblos indígenas de Panamá, de su cultura y de sus instituciones, lo que implica consultar con las autoridades indígenas sobre cualquier proyecto en la región;

— un rechazo resuelto del Instituto Lingüístico de Verano y de sus programas.

La agresión a los guaymíes como pueblo diferenciado, es un ejemplo típico del impacto sobre los pueblos indios de los grandes proyectos de desarrollo que ponen en peligro su porvenir y perpetúan el etnocidio a ritmo acelerado.

Nicaragua: la organización MISURASATA está formada por las tres etnias de la Costa Atlántica y se creó después de la llegada al poder del Frente Sandinista. Tuvo dificultades con el gobierno cuando se descubrió que su representante en el Consejo de Estado, Steadman Fagoth, pertenecía a la CIA; en esa ocasión se cometieron errores, como por ejemplo, la detención de toda la directiva de la organización y de otros portavoces miskitos y los disturbios que siguieron provocaron la muerte de 8 personas, en Prinzapolka, en marzo de 1981. El gobierno sandinista ha reconocido públicamente estos errores. La política actual parece ser el diálogo, tanto por parte del gobierno como por parte de los indios, especialmente los miskitos. Sin embargo, éstos exigen el reconocimiento de sus derechos y reclaman una verdadera participación en el proceso que actualmente vive el país y, por otra parte, no aceptan que todo un pueblo tenga que responder por el error cometido por un indio manipulado por el imperialismo norteamericano.

En Venezuela, Argentina, Chile, etc., también se celebran encuentros de pueblos indios.

Estos encuentros demuestran que existe una toma de conciencia de la identidad india a nivel continental, que se traduce por la búsqueda de solidaridad entre los distintos pueblos que, a su vez, se concretiza en la celebración de encuentros internacionales y en la formación de consejos regionales.

VI LOS ENCUENTROS INDIOS INTERNACIONALES

1. *El Primer Parlamento Indio Americano del Cono Sur*

Esta reunión se celebró en San Bernardino, cerca de Asunción, Paraguay, del 8 al 14 de octubre de 1974. En ella participaron delegados de las tribus maquiritare, quechua, aymara, guaraní, chulupi, toba, kolla, mapuche (de Argentina), paitavitera, parixi y mataca, procedentes de Argentina, Bolivia, Brasil Paraguay y Venezuela. Esta reunión, organizada por el Proyecto Marandú,[56] les, a su vez, deberán integrarse en confederaciones digenista de Paraguay del Centro de Estudios Antropológicos de la Universidad Católica de Paraguay, y se plantearon los problemas siguientes:

— la posesión de las tierras cultivables;

— la discriminación en la educación;

— el precario estado de salud de la población indígena;

— el trabajo sin seguridad social;

— la organización de los indígenas.

Los dos puntos que merecen ponerse de relieve son la toma de conciencia étnica de los pueblos indios y su deseo de organizarse para ser "hombres libres". Las comunidades tendrán que esforzarse en reagruparse en federaciones regionales, las cuanacionales e internacionales. Los indios que participse celebraba bajo los auspicios de la Asociación Inparon en este parlamento, insistieron sobre la independencia de su organización frente a las autoridades nacionales y los partidos y facciones políticas, para evitar ser utilizados por "falsos líderes indios". Ese primer parlamento marca una toma de conciencia india continental.

[56] Proyecto Marandú: Programa de la Universidad Católica de Asunción. Patrocinado por la Fundación Interamericana, gozaba asimismo del apoyo del Museo Nacional de Copenhague y de la Organización Internacional del Abate Pierre. Este programa se orientaba a desarrollar una actividad en materia de educación, asistencia jurídica y mejora de las condiciones de trabajo de las poblaciones indias.

2. *El Consejo Mundial de los Pueblos Indígenas (CMPI)*

En octubre de 1975, bajo la égida de la Hermandad India del Canadá, se creó en Port Alberni (Canadá) el Consejo Mundial de Pueblos Indígenas (CMPI). Estuvieron representados en el mismo los países siguientes: Argentina, Australia, Bolivia, Canadá, Colombia, Ecuador, Finlandia, Groenlandia, Guatemala, México, Nueva Zelandia, Nicaragua, Noruega, Panamá, Paraguay, Perú, Suecia, Estados Unidos de América (incluido Hawai) y Venezuela. En total participaron 260 pueblos.[57] y al final de la conferencia, se adoptó una declaración solemne. En la reunión, se aprobaron algunas resoluciones relativas a derechos económicos, culturales y políticos, a la conservación de las tierras y de los recursos naturales.

3. *I Congreso Internacional Indígena de América Central*

Se celebró del 24 al 28 de enero de 1977 en Panamá, asistiendo al mismo representantes de México, Guatemala, Panamá, Honduras, Nicaragua, El Salvador y Costa Rica. Los delegados examinaron la realidad india en los distintos países, su situación económica y cultural y, en particular, los problemas religiosos, educativos y de tradición.

En esta reunión se decidió la constitución de una federación indígena centroamericana: el Consejo Regional de los Pueblos Indígenas de América Central (CORPI), donde se hallan representados los países mencionados.

[57] Douglas E. Sanders, *The formation of the World Council of Indigenous People.* IWGIA Document 29, Copenhague, 1977, p. 15.

Durante la Reunión de las Organizaciones Indígenas Independientes de México, América Central y el Caribe, que tuvo lugar en la comunidad Purépecha de Cherán Asticurín (estado de Michoacán, México) del 3 al 8 de marzo de 1981, el CORPI, organizador de la reunión, anunció que en adelante su sigla significaría Coordinadora Regional de Pueblos Indios, modificación terminológica que responde al cambio ideológico que se está produciendo en la organización.

4. *II Declaración de Barbados*

La I Declaración de Barbados, en 1971, firmada por un grupo de antropólogos, insistía en la responsabilidad del estado, de las misiones religiosas y de la antropología en la agresión que sufren los indígenas, y reafirmaba "el derecho que tienen las poblaciones indígenas de experimentar sus propios esquemas de autogobierno, desarrollo y defensa". Apoyaba con firmeza el desarrollo de la organización india.

La II Declaración de Barbados, en julio de 1977, estaba firmada conjuntamente por indios (18 sobre 35 participantes) y antropólogos no indios. Esta participación india permitirá a esta declaración dar un salto cualitativo: mientras Barbados I declaraba que los indígenas eran los únicos que debían hacerse cargo de su liberación, Barbados II testimonia que los indios están realizando ahora sus propios proyectos de liberación.

Considerando que los indios estaban sujetos a la dominación física y cultural, Barbados II podía reflexionar sobre las estrategias y los instrumentos requeridos para realizarlas, la necesidad de una ideología consistente y clara, siendo la propia cultura el elemento aglutinador. El grupo de Barbados II se interesó igualmente en el derecho a la autodeterminación de los pueblos indígenas y en los nuevos mecanismos represivos de las sociedades nacionales.

5. *Conferencia Internacional de Organizaciones no Gubernamentales sobre la discriminación contra las poblaciones indígenas en las Américas*

Por primera vez, del 20 al 23 de septiembre de 1977, los pueblos indios de las Américas dejaron oír su voz en el Palacio de las Naciones de Ginebra (Suiza). Esta conferencia fue organizada por el Comité de Derechos Humanos de las Organizaciones no Gubernamentales (ONG) y por el subcomité sobre el racismo, la discriminación racial, el *apartheid* y la descolonización.

La Declaración de Principios de la conferencia reconoce las naciones indígenas que se sometan al derecho internacional, a condición de que esos pueblos deseen ser reconocidos como naciones y cumplan con las condiciones fundamentales de toda nación, a saber: a] tener una población permanente; b] poseer un territorio determinado; c] disponer de un gobierno propio; d] poseer la capacidad de relacionarse con otras naciones.

Se otorgará a las naciones y a los grupos indígenas el grado de independencia que deseen, de conformidad con el derecho internacional.

Esta conferencia reconoce el derecho de los pueblos a la autodeterminación: "Todas las acciones por parte de cualquier estado que erosionen el derecho de la nación o grupo indígena a ejercer la libre determinación caerán dentro de la competencia de los organismos internacionales existentes."

Del mismo modo, la conferencia recomienda que

sean reconocidos y plenamente protegidos por la ley el derecho a la posesión de la tierra y al control de los recursos naturales, así como el derecho de los pueblos indígenas a gobernar sus territorios de acuerdo con sus propias tradiciones y su cultura. Por último, señalemos que la conferencia se mostró muy dura frente a la política indigenista: "Será ilegal para cualquier estado tomar o permitir cualquier acción o conducta respecto a alguna nación o grupo indígena, que directa o indirectamente provoque la destrucción o desintegración de dicha nación o grupo indígena."

6. *I Congreso de Movimientos Indios de América del Sur*

Se celebró en Ollantaytambo (Cuzco, Perú) del 27 de febrero al 23 de marzo de 1980, convocado por el CMPI, el Movimiento Indio Peruano y la Asociación Indígena de la República Argentina y estuvo patrocinado por el Instituto Nacional de Cultura, la Sociedad de Antropología y el Instituto de Economía de la Universidad Nacional Mayor de San Marcos. En su orden del día figuraban los temas siguientes: historia verdadera del Tawantinsuyu, filosofía y política cósmica del indio, los ayllus y su gobierno en forma de consejos, el mensaje de la indianidad al mundo. A raíz de este congreso, se creó el Consejo Indio de América del Sur (CISA).

Según algunos observadores, esta reunión marcó la victoria de los "indianistas" sobre la tendencia "marxista". La tendencia indianista estuvo representada y dirigida por Bolivia (MITKA) apoyada por Perú, Ecuador, Argentina y Colombia. La tendencia marxista estaba representada por Venezuela, Brasil y Chile, pues las poblaciones indias, minoritarias en estos países, no pueden ni soñar con mejorar su situación sin una alianza de clase con los no indios.

En cambio, la tendencia indianista de los representantes de Bolivia, Perú y Ecuador, se explica por su alto porcentaje de población india y porque geográficamente corresponden al Tawantinsuyu de la época incaica. En cuanto a Colombia, su postura es el resultado de su larga tradición de lucha, aunque no les impide buscar alianzas con los sectores no indios, siempre y cuando éstos no sean contrarios a su indianidad y a sus propias reivindicaciones.

Desde el punto de vista estratégico, el congreso resolvió que cada pueblo debe adoptar las tácticas y estrategias más acordes con los imperativos sociales, económicos y políticos de cada país, teniendo en cuenta dos posibilidades: a] cuando el pueblo indio es mayoritario, su finalidad inmediata será la toma del poder; b] cuando el pueblo indio es minoría, podrá decidir su acción inmediata a la cabeza de sectores populares, pero sin comprometer su autonomía política y su identidad étnicocultural.

7. *Conferencia Internacional de Organizaciones no Gubernamentales sobre los pueblos autóctonos y la tierra*

Se celebró en Ginebra del 15 al 18 de septiembre de 1981, en ocasión del Decenio contra el Racismo y la Discriminación Racial, a ella asistieron unos 130 delegados indígenas de todo el mundo: Australia, Oceanía, Europa del norte. Las delegaciones de las tres Américas eran las más numerosas, con predominio de los indios procedentes de Estados Unidos y Canadá. Centroamérica y América del Sur estaban representadas principalmente por la CORPI y el CISA, respectivamente. También asistieron portavoces de los movimientos indios de casi todos los países.

Cuatro comisiones analizaron los problemas siguientes:

— derecho de la propiedad en los pueblos autóctonos, acuerdos y tratados internacionales, reforma agraria y régimen de tenencia de la tierra;

— la filosofía autóctona y la tierra;

— las sociedades transnacionales y sus efectos sobre los recursos y las tierras de los pueblos autóctonos;

— el impacto del incremento del arsenal nuclear sobre la tierra y la vida de los pueblos autóctonos.

Las distintas intervenciones subrayaron la unidad y solidaridad necesarias entre los pueblos autóctonos, ilustrando las grandes tendencias del movimiento indio en las tres Américas: la tendencia de los indios del norte difiere de la de los pueblos autóctonos del sur por existir tratados con la Corona británica cuyo cumplimiento exigen. En las otras dos Américas se señalaron dos tendencias fundamentales: la de los países en que la población india es minoritaria y la de aquellos en que es mayoría. Un representante del CISA expuso esta última postura, insistiendo en el hecho de que los indios tienen que "elaborar un programa para llegar al poder". La postura de minorías resaltó el deseo de autodeterminación para conseguir un grado de autonomía a determinar por los indios mismos. El tema de la autodeterminación de los pueblos autóctonos fue una constante de la conferencia. En su declaración final podemos leer: "La conferencia se declara solidaria con los pueblos indígenas en su lucha por la autodeterminación y su derecho a escoger libremente el desarrollo y la utilización de sus tierras y de sus recursos y de vivir de acuerdo con sus valores y su filosofía."

Estos congresos internacionales demuestran una toma de conciencia de la identidad india continental, que se expresa mediante una ideología en evolución, cuyo origen hay que buscar en los ideólogos indios de los Andes; el indianismo basado en la "concepción cósmica de la armonía entre el hombre y la naturaleza". Esta filosofía unificadora de los pueblos indios de América quiere ser la fuerza motriz del internacionalismo indio.

En 1974, el Parlamento Indio del Cono Sur se preocupó principalmente por las condiciones de vida de los indios en sus respectivos países, mientras que el Congreso de Ollantaytambo planteó los problemas en términos resueltamente políticos y de "liberación" mediante la "descolonización", situando la lucha ideológica en el enfrentamiento entre indianismo y occidentalismo, este último concebido como una forma de imperialismo multidimensional que actúa a todos los niveles: económico, cultural, político, civilizatorio, etcétera.

VII. EL PROBLEMA INDIO SEGÚN LOS PROPIOS INDIOS

En este punto analizaremos los grandes temas tratados en los congresos o en otros documentos de origen indio, lo que nos permitirá llegar a conclusiones generales sobre el desarrollo de los movimientos indios y las perspectivas que de ellos se derivan.

Por exigencias del análisis, hemos dividido la tierra y la cultura en dos partes, aun cuando para los pueblos indios son dos aspectos indisociables. La tierra no es solamente un medio de producción, sino el ámbito y el origen de la cultura, tiene carácter religioso y sentimental, es un todo indivisible, es la "Pachamama" (nuestra madre tierra en los Andes). El espíritu occidental, en cambio, divide, separa y jerarquiza conceptos.

1. *La tierra*

Como ya apuntábamos, la tierra, junto con la cultura, es la mayor preocupación de los indios. La tierra es un concepto totalizante y aglutinador de todos los demás: cultura, etnicidad, indianidad, historia, religión, política, economía, etcétera.

Los conflictos de tierras son más agudos en las regiones indias que en las demás. La represión contra los indios se lleva a cabo sobre todo mediante el despojo de sus tierras, pues el impacto es mucho más grave que la pérdida del medio de producción vital: se les priva también de la posibilidad de desarrollar su cultura, haciéndoles entrar en la espiral despojo-desculturación, que desemboca fatalmente en la integración forzada al sistema, con su corolario habitual: proletarización rural, emigración y marginación cultural y económica en los suburbios de los grandes centros.

"Para nosotros los indígenas, la tierra no es sólo el objeto de nuestro trabajo, la fuente de los alimentos que consumimos, sino el centro de toda nuestra vida, la base de nuestra vida, la base de nuestra organización social, el origen de nuestras tradiciones y costumbres." [58]

La tierra constituye a la vez la condición de la seguridad individual y de cohesión del grupo, al contrario de lo que sucede con los no indios, que

[58] III Congreso Nacional de la ANUC, 1974. (Asociación Nacional de Usuarios Campesinos, Colombia).

la utilizan como instrumento de dominación, como medio de producción capaz de producir una renta.

Partiendo de estas premisas, se comprende que "la lucha por la recuperación de nuestras tierras es la que más nos une".[59] Se trata de recuperar el elemento fundamental de la vida, una parte de sí mismo, puesto que "el indio es la tierra misma".[60] Después de haber sido obligados a refugiarse en las tierras más pobres, recuperar las tierras ocupadas en otro tiempo por las comunidades, de donde les expulsaron los terratenientes, es uno de los principales objetivos. Los terratenientes califican de "invasiones" los intentos de recuperar la tierra, queriendo atribuirse la legitimidad de su propiedad, mientras que los indios sólo tratan de rescatar lo que les fue robado, en muchos casos por la fuerza y al precio de matanzas y asesinatos.

Las tierras rescatadas se trabajarán comunitariamente y cada comunidad controlará los recursos naturales de su zona: "La entrega de tierras al indígena debe ser hecha a nombre de la comunidad en propiedad comunal" y "los estados deben reconocer a las comunidades indígenas como personas jurídicas... Y deben en sus constituciones, reglamentos o leyes, contemplar el problema de la devolución de las tierras a las comunidades colectivizadas que cumplan con los derechos reconocidos a las comunidades o tribus." [61]

El reconocimiento de la propiedad colectiva de la tierra por parte de los gobiernos hará que los

[59] *¿Cómo nos organizamos?,* cuartilla del CRIC núm. 2, Consejo Regional Indígena del Cauca, Popayán, Colombia, p. 15.

[60] *Conclusiones del Parlamento Indio Americano del Cono Sur,* 1974.

[61] *Ibid.*

indios puedan vivir su "comunitarismo", una forma de tenencia de la tierra que expresa asimismo la relación comunitaria entre los diferentes miembros de la comunidad y entre éstos y la naturaleza, relación que no es tan sólo económica, sino también cultural, política, religiosa, etc. Los indios reclaman el reconocimiento de sus comunidades como entidades autorregidas por los comuneros, en concordancia con sus propias leyes.

La recuperación colectiva de la tierra significa también una lucha cultural y política entre el comunitarismo indio y el individualismo occidental que propugna la propiedad privada. A través de la lucha entre estos dos sistemas económicos, uno comunitarista y otro individualista, se oponen igualmente dos visiones del mundo totalmente distintas.

Al extenderse al campo político, el concepto de la tierra toma un aspecto de reivindicación territorial que para algunos movimientos radicales reviste una dimensión "nacional" y se expresa en términos de "liberación nacional" (Bolivia, Perú). La reivindicación de la tierra es la de todo un pueblo oprimido y colonizado.

Aunque muy a menudo encontremos el concepto "propiedad" colectiva en las reivindicaciones indias, no debe confundirse el sentido que dan a esta "propiedad", pues lo único que pretenden con ello es hacerse entender por los no indios utilizando conceptos occidentales: "Tenemos que delimitar las tierras para evitar disputas. Cuando no se puede decir 'esto es mío', 'esto es nuestro', es difícil luchar contra el civilizado." [62]

Se trata de una actitud defensiva del comunitarismo indio frente a la creciente privatización de

[62] II Asamblea de Jefes Indios, en el suroeste del estado de Pará, Brasil, Misión Cururú, mayo de 1975.

la tierra, favorecida por la política indigenista, en particular mediante las reformas agrarias de tipo individualista. El cambio de las estructuras agrarias y el comercio entrañan un cambio de mentalidad, a la vez que desintegran el sistema comunitario: aparecen entonces el interés, la competencia y, con ellos, la formación de clases sociales dentro de las comunidades en proceso de "descomunitarización".

Pese a estar ya bastante extendida en el mundo indio, la propiedad privada no ha destruido el espíritu comunitario, ni la conciencia de grupo en cuanto elemento de cohesión de la comunidad. El comunitarismo no se limita a la posesión de la tierra, sino que es producto de las aspiraciones culturales, autogestionarias, políticas, nacionales, económicas, etc.

La parcelación de las tierras se presenta como una tentativa de introducir la mentalidad capitalista entre los indios, mentalidad contraria a la tradición de propiedad colectiva de la comunidad.[63]

La tierra es un medio de subsistencia, pero la relación con ella es más amplia: una relación total, de fusión entre el indio y la tierra. El hombre forma parte integrante de la naturaleza y no se le opone, a diferencia del occidental que trata de dominarla y de separarse de ella.

La tierra es el medio privilegiado para el desarrollo de los lazos comunitarios con los demás, puesto que la libertad no es estar solo, ni seguir el propio camino en soledad, sino vivir en estrecha relación con los demás y con la naturaleza, como elementos constitutivos de ella. Para el indio la tierra es: "el soporte de nuestro universo cul-

[63] *Unidad Indígena*, año 2, núm. 16, septiembre de 1976, p. 6.

tural... ¿Qué es el indio sin la tierra, sin las plantas, sin los animales? Somos los dueños milenarios de esta tierra americana, aunque nos hayan privado de la mayor parte de la misma".[64]

2. *La cultura*

En este tema volvemos a encontrar muchos elementos ya tratados en el inciso referente a la tierra, pues para el indio, tierra y cultura son inseparables. Este aspecto del mundo indio es sin duda el que los occidentales tienen mayor dificultad en comprender, pues tienden a analizar las sociedades indias según divisiones conceptuales jerarquizadas. Somos conscientes, por otra parte, que en este trabajo tampoco nos libramos de esta tendencia netamente occidental.

Como decíamos en la parte anterior, la tierra es el marco indispensable de la cultura, con sus variantes étnicas. Así como la cultura occidental engloba una multitud de variantes culturales, la cultura india incluye también las suyas: podemos observar notables diferencias entre un indio de la selva y uno de la sierra, pero ambos tendrán puntos comunes que encontràmos en toda América: la estrecha relación entre el hombre y la naturaleza, mientras que los occidentales, en cambio, se alejan cada vez más de ella; la visión totalizadora del universo y el sentido del equilibrio entre sus diferentes elementos. El occidental quiere cambiar la naturaleza según sus propios intereses, plegarla a sus normas para hacerla entrar en su racionalidad. El indio no trata de dominarla, sino que se adapta

[64] Carta Abierta a los Hermanos Indios de América en ocasión del I Congreso de Pueblos Indios de América del Sur, Cuzco, Perú, 1980, por Julio Carduño Cervantes, secretario del Consejo Supremo Mazahua, México.

a ella, se impregna de sus leyes y vive en armonía con ellas, sin tratar de imponer otras. Tratará siempre de buscar el equilibrio entre el medio ambiente y él mismo. La tierra, el medio ambiente natural, le permite reproducir su cultura, a pesar de las relaciones a que le ha obligado la sociedad no india con respecto a la tierra, y si se ve despojado de ella, la reivindica: la comunidad es capaz de conservar su cohesión cultural y de grupo para reclamarla, gracias a una memoria colectiva muy profunda.

"Para nosotros, el concepto de cultura que es básico no puede restringirse a la suma de algunos elementos tomados fuera de contexto, como la lengua, las creencias, los mitos y leyendas, la música y las danzas, sino que es el marco global de nuestra vida, donde la tierra es base y punto de partida." [65]

El vehículo de la cultura es, por supuesto, el idioma y los indios exigen que los gobiernos reconozcan oficialmente los idiomas nativos. La enseñanza debe ser impartida por maestros indios. Los quechuas y aymaras de Bolivia denuncian la "forma sutil de dominación" que constituye la escuela rural: "La escuela rural, por sus métodos, sus programas y su lengua, es ajena a nuestra realidad cultural y no sólo busca convertir al indio en una especie de mestizo sin definición ni personalidad, sino que persigue igualmente su asimilación a la cultura occidental y capitalista. Los programas para el campo están concebidos dentro de esquemas individualistas, a pesar de que nuestra historia es esencialmente comunitaria." [66]

Desean una educación impartida en la lengua materna, pero admiten la utilidad del aprendizaje

[65] III Congreso de la ANUC, Bogotá, 1974.
[66] *Manifiesto de Tiahuanacu,* 1973.

del español, habida cuenta de la inevitable interacción con los no indios. Todos piden una educación idónea, adaptada a sus pueblos y a sus problemas, porque la "educación oficial sirve a los modelos occidentales que a título de 'civilización', están orientados a la alienación sistemática de nuestro ser indio".[67] Por su parte, la Alianza Nacional de Profesionales Indígenas Bilingües (asociación civil mexicana) preconiza una educación "bilingüe-bicultural", concebida no *para* el indio, sino *por* el indio, en cuanto sujeto de su propio destino histórico.[68] Hay que enseñar primeramente "nuestra propia cultura" y luego los valores universales de las demás culturas. Estas reflexiones van unidas a una viva crítica de la "castellanización".

Las organizaciones indias aspiran a la autodeterminación cultural. Su cultura es hoy realmente una "cultura de resistencia", trata de sobrevivir, pero su desarrollo se ve obstaculizado por la política aculturacionista.

La cultura india se reproduce dentro de las comunidades mediante la adquisición de los valores comunitarios, el empleo de la lengua autóctona (empleo tanto más resistente cuanto que la política educativa deja, a menudo, a numerosas poblaciones indias en el analfabetismo, lo que favorece el empleo constante de la lengua materna y, por consiguiente, la reproducción de la cultura de resistencia), la mitología, la historia oral, etc.

[67] I Congreso de los Movimientos Indios de América del Sur, Ollantaytambo, Cuzco, Perú, 1980.

[68] ANPIBAC, I Congreso Nacional, "Los Indígenas y su política educativa", Los Remedios, Ixmiquilpan, Hidalgo (México), octubre de 1980.

3. *La historia*

Hasta hoy, la historia de los pueblos indios casi no ha sido escrita por los propios indios; ellos la contaron, fue recogida por los españoles y más tarde por los criollos, por lo que siempre ha pasado por el molde occidental, por tanto, no puede ser la auténtica. El rescate de la historia es fundamental para identificarse como pueblo. Sólo partiendo de una conciencia histórica podrá desarrollarse una conciencia ideológica a través de los movimientos indios y basada en la indianidad, que abra el camino hacia la conciencia revolucionaria.

Así pues, la historia deberá enseñarse partiendo de la auténtica historia de los pueblos autóctonos que desde el "descubrimiento" de América es la de una expoliación continua, genocidio, etnocidio, robo de tierras, desprecio de sus valores morales y culturales. En cuanto a la independencia de España, tampoco representó la libertad para los indios, pues se hizo bajo el signo del liberalismo y "la república no es para el indio más que una nueva expresión de la política de los dominadores".[69]

De este modo, la historia sentida por los indios les permite tomar conciencia de su opresión política y cultural, de su explotación económica y de la discriminación social y racial de que son objeto desde la conquista hasta nuestros días, toma de conciencia que dará fundamento a sus reivindicaciones en cuanto pueblos colonizados.

4. *Aspecto económico*

Los indios denuncian constantemente la explotación económica y la marginación social que padc-

[69] *Manifiesto de Tiahuanacu,* 1973.

cen. En el aspecto económico, el problema de la tierra ocupa un lugar esencial como medio de producción. En este sentido, la mayor parte de los indios se identifican con la clase social campesina:

"Tenemos también en común con los demás sectores campesinos nuestros principales problemas y reivindicaciones, como es en primer lugar la defensa y recuperación de nuestras tierras; la lucha contra la explotación de los intermediarios, la necesidad de crédito y asistencia técnica, etc." [70]

"Los pueblos indígenas constituimos una parte importante de la clase campesina del país y, por ello, reclamamos nuestro lugar en el proceso reivindicativo de la reforma agraria y en todos los programas de desarrollo nacional, pues de esta manera será posible sustraernos de la explotación, el hambre y la miseria." [71]

Al igual que para los demás campesinos, sus enemigos son los grandes propietarios, los comerciantes, los intermediarios, los banqueros, etcétera.

El problema agrario es el más urgente. Sin embargo, las reformas agrarias son, por lo general, demasiado individualistas y tropiezan con el comunitarismo indio. Insisten en la productividad, noción ajena al mundo indio, que trata de equilibrar la producción sin producir excedentes con miras a obtener beneficios. La noción de rentabilidad no tiene la misma significación en su sistema de pensamiento, pues no tratan de forzar la naturaleza, sino de adaptarse a sus posibilidades según sus necesidades esenciales, por ello, en la mayoría de los casos, son las primeras víctimas de la competencia, puesto que los no indios no tienen ningún

[70] III Congreso de la ANUC, "Posición de los indígenas en el movimiento campesino", Bogotá, 31 de agosto de 1974.

[71] Consejo Nacional de los Pueblos Indígenas, *Carta de Pátzcuaro. Declaración de Principios,* México, 1975.

inconveniente en seguir las reglas del juego capitalista. Los comerciantes, intermediarios y traficantes de toda índole son denunciados y condenados constantemente en los congresos indios y en su prensa. Reclaman un mercado indio, precios fijos, supresión de impuestos abusivos, subsidios previstos por la ley, etc. En Colombia, por ejemplo, rechazan el cooperativismo oficial y reivindican un "cooperativismo popular", ya que consideran al primero demasiado paternalista y dominado por intereses individualistas: "Queda claro entonces que debemos luchar por formar cooperativas autónomas que organicen nuestra economía y contribuyan al desarrollo de la organización." [72]

La penetración del comercio actúa como elemento de destrucción de las comunidades y acentúa las diferencias entre ricos y pobres. Pero el comercio y la dominación blanca o mestiza no han podido destruir, durante siglos, la cohesión de grupo de las comunidades, incluso cuando éstas evolucionan hacia un sistema de propiedad a la vez comunal, semicomunal (usufructo permanente) y privado.

En Colombia se organizaron empresas comunitarias utilizando créditos del INCORA (Instituto Colombiano de Reforma Agraria) y, para luchar contra los intermediarios, se crearon cooperativas y tiendas comunales. Por lo que respecta a la distribución de beneficios: "Se convino que en ningún caso debe haber repartición individual en dinero, sino que es en servicios como la comunidad va a poder apreciar el avance de su organización económica." [73]

La noción de autogestión aparece una y otra

[72] *Unidad Indígena,* año 2, núm. 16, septiembre de 1976, p. 6.

[73] *Unidad Indígena,* año 2, núm. 15, julio de 1976, p. 2.

vez en las reivindicaciones indias; ésta debe desarrollarse en el ámbito más amplio de una autonomía económica.

La dependencia económica de los grupos étnicos entraña la desintegración de sus comunidades y favorece la división en clases sociales. Los trabajos colectivos siguen existiendo, pero son objeto de explotación por parte de los terratenientes y hasta de las autoridades que disponen de mano de obra gratuita para la realización de obras públicas.

El aspecto económico del problema indio no se limita a la esfera agrícola, por lo tanto, no podremos asimilar los indios a los campesinos, porque si bien es cierto que efectivamente muchos son campesinos, otros ejercen actividades diferentes y hay que clasificarlos de otro modo; los hay que trabajan en la artesanía, en los servicios, en las minas, etc.; en la ciudad, ocupan los empleos más inestables y menos remunerados. Frecuentemente trabajan en lo que se conoce como "el sector informal urbano", formado por trabajadores que aparentemente viven al margen del sistema, pero que en realidad constituyen uno de los eslabones de reproducción del mismo: vendedores ambulantes, limpiabotas, jornaleros o peones sin contrato fijo, personal doméstico (en particular las mujeres), etc. En los países de población india abundante, el sector no estructurado corresponde prácticamente a la población india emigrada del campo. También es difícil clasificar estas poblaciones desarraigadas y en vías de proletarización. Como podemos apreciar, la cuestión india rebasa el problema de clases sociales para convertirse en la problemática de todo un pueblo.

5. *Aspecto político*

El Manifiesto de Tiahuanacu declaró que los quechuas y los aymaras tenían conciencia de su opresión política y deploraba la falta de participación efectiva de los campesinos quechuas y aymaras en la vida económica, social y política del país. Por último, expresaba el deseo de que sus organizaciones políticas estuvieran en correspondencia con sus valores y sus propios intereses. Por otra parte, el Primer Parlamento Indio de América del Sur estimó conveniente dar pruebas de extrema prudencia ante las maniobras de los partidos y facciones políticas nacionales. De todo ello se desprenden tres puntos fundamentales:

— participación política insuficiente;
— no reconocimiento del problema étnico;
— desconfianza hacia las organizaciones políticas no indias.

El no reconocimiento de la etnicidad, y en un sentido más amplio, de la indianidad por la sociedad llamada "nacional", es en gran parte causa del incremento de la organización específicamente india. En la actualidad, al no encontrar su expresión en el seno de las organizaciones políticas tradicionales, los indios tienden a agruparse cada vez más en movimientos políticos propios que defiendan sus intereses. Estas organizaciones pueden ser muy diversas: regionales, como el CRIC de Colombia, el Consejo Aguaruna y Huambisa (Perú), el Congreso Guaymí (Panamá), MISURASATA (Nicaragua), los Consejos Supremos de México (uno por cada etnia); organizaciones monoétnicas, biétnicas o pluriétnicas, que se multiplican actualmente en México y revisten la forma de asociaciones civiles, etc.; organizaciones nacionales, como el MITKA (Bolivia), el CNPI (Consejo Nacional de los Pueblos Indígenas) de México, la Unión de Naciones Indígenas de Brasil, etc. Por regla general, exigen una sociedad basada en el sistema comunitario, en los Consejos Indios y en la autodeterminación de los pueblos.

Sus estrategias van mucho más lejos que las de los partidos políticos, manifestándose, en lo que respecta a los movimientos andinos, en términos de liberación nacional. Estos movimientos insisten igualmente en la necesidad de seguir estrategias propias.

El hecho de defender sus derechos como pueblo es muy mal visto por los partidos políticos, incluso por la izquierda latinoamericana, que los califica con harta frecuencia de "movimientos racistas" porque se fundan en la indianidad, o también "reaccionarios", "divisionistas", "conservadores", "paseístas"; la derecha, por su parte, los considera "comunistas" o cuando menos "izquierdistas". Como podemos ver, el problema indio no encaja en los análisis occidentales que sólo se ocupan de masas de campesinos explotados y no de pueblos oprimidos. Los partidos políticos rechazan la diferencia, influidos por el colonialismo teórico de que son víctima la mayor parte de los partidos políticos de América Latina.

A su vez, los indios quieren elaborar sus propias teorías, seguir su propia ideología en sus propias organizaciones políticas, para no depender del paternalismo de los partidos políticos que les convierten en menores de edad a quienes hay que enseñar todo.

Además, el sistema mismo de partidos concebido por los occidentales, no corresponde a su realidad, como lo afirma el Primer Parlamento Indio Americano del Cono Sur. En efecto, los partidos se construyen en función de las clases sociales, es decir, según criterios económicos. Ahora bien, para el indio, lo económico no es lo más importante. La importancia que el indio concede a la cultura, a su organización social comunitaria, a la identidad étnica, no cuenta para los partidos políticos o, en el mejor de los casos, cuenta de manera secundaria. El indio, por su parte, no se identifica con los partidos y más bien los considera como otra forma de colonialismo; prefiere formar un "movimiento", un "consejo", más flexibles y más amplios, y sobre todo, más acordes a su visión del universo.

6. *Aspecto religioso*

No hablaremos aquí de la religión india, puesto que en los congresos nunca se la menciona aisladamente pues se integra en la visión cósmica de estos pueblos y la encontramos en su apego a la naturaleza, en la cultura. Lo que vamos a examinar, en cambio, es el cristianismo.

La religión cristiana ha contribuido ampliamente a la colonización del continente: "Recordamos el papel que han jugado las misiones católicas desde la llegada de los españoles para cambiarnos de mentalidad y hacernos aceptar los intereses de los civilizados".[74]

Incluso, es uno de sus agentes más eficaces, hasta tal punto que muchas poblaciones indias hoy la profesan.

Los congresos indios denuncian sistemáticamente la nefasta labor de algunas misiones, el aparato de la iglesia al servicio de los grandes propietarios, los comerciantes, etc. En el III Congreso de la ANUC, el CRIC de Colombia denuncia:

— "la división que se establece en nuestras comunidades indígenas fieles a la misión y evangélicos. . .

[74] III Congreso de la ANUC, Colombia, 1974.

—"la educación impuesta por las misiones o el gobierno ha sido una de las principales maneras de destruir las comunidades. . .

— "la educación impuesta por las misiones o el gobierno divide nuestras comunidades. . ." [75]

El Instituto Lingüístico de Verano es el blanco de las acusaciones más unánimes por su nefasta labor que denuncian tanto los indios como las organizaciones más diversas. El ILV se instaló en México en 1935, en el Perú en 1947, en Colombia en 1959. . . En 1974, tenía instalaciones en 8 países de América Latina, con una marcada preferencia por las regiones más apartadas (la Amazonia, por ejemplo) aún muy poco exploradas y con interesantes perspectivas de desarrollo para las multinacionales norteamericanas y los terratenientes. El Instituto se autodefine como una organización filantrópica destinada a la investigación lingüística, al estudio de las lenguas autóctonas de todo el mundo y al servicio cultural, material y espiritual de los grupos autóctonos. De hecho, el verdadero objetivo es la penetración ideológica norteamericana y la preparación del terreno por cuenta de las grandes compañías explotadoras de riquezas minerales. Las denuncias de los indios son constantes. Según las conclusiones del III Congreso del Consejo Regional Indígena del Vaupés (CRIVA, Colombia) el problema más grave que la región tiene que afrontar es precisamente el ILV: "decimos grave porque este instituto es el primero que divide a las comunidades indígenas con su fingido paternalismo y su falsa mascarilla que utiliza para penetrar a nuestras comunidades. [. . .] Los miembros de dicho instituto poseen más garantías y derechos que cualquier ciudadano porque están

[75] *Ibid.*

libres de pago de impuestos, tienen libre entrada al país, pueden transportar los materiales que deseen, ya sea para el interior o el exterior, están libres de aduanas, para acabar de completar, el gobierno nacional les proporciona avionetas y combustibles. . ." [76]

El Primer Congreso de Movimientos Indios de América del Sur, en sus conclusiones exige la expulsión del ILV "por ser un instrumento de penetración imperialista yanqui en la Amazonia".

El tema del paternalismo religioso también aparece constantemente en las reflexiones indias.

Sin embargo, aunque algunos movimientos rechazan totalmente cualquier relación con las misiones, otros las aceptan, tanto más cuanto que en la última década un sector de la iglesia ha experimentado cambios ideológicos ante la dramática situación que descubría trabajando al lado del pueblo. En la actualidad, la iglesia progresista se sitúa cada vez más del lado de los indios y trata de trabajar con ellos respetando su organización, sus tradiciones y su identidad, en lugar de "guiarles" según el paternalismo habitual. Últimamente, numerosos congresos no hubieran podido celebrarse sin la ayuda o el patrocinio de las instituciones religiosas. El Congreso de San Cristóbal de las Casas (México, 1974) se celebró con ocasión del V centenario del nacimiento de Fray Bartolomé de las Casas, auspiciado por el comité del mismo nombre y por el gobierno; el Consejo Ecuménico de las Iglesias colaboró en la reunión del Primer Parlamento Indio Americano del Cono Sur. Por su actitud, la iglesia progresista latinoamericana parece mucho más receptiva respecto a la cuestión india que los partidos de izquierda, pues favorece la ex-

[76] *Unidad Indígena,* año 2, núm. 12, abril de 1976, p. 6.

presión de los indios y les apoya en sus conflictos, actitud no exenta de peligros: muchos sacerdotes han sido asesinados o expulsados durante los últimos años a causa de su compromiso en favor de los indios y de otros sectores de la población.

Los indios del Brasil reconocen la actitud positiva de los sacerdotes:

"Tenemos que confiar en nuestros padres que nos defienden." [77]

"La misión ayuda la escuela para impedir que los blancos invadan la tierra."

"El sacerdote ayuda para que la región de los indios no sea invadida."

"Los misioneros defienden a los indios, pero es la FUNAI quien debería hacerlo. Los sacerdotes no han venido para ayudar a los indios, pero los ayudan mejor que la FUNAI..." [78]

En Brasil, el Consejo Indigenista Misionero (CIMI) lucha al lado de los indios y se enfrenta con el gobierno para defender sus derechos.

Después de casi cuatro siglos, la mayoría de los pueblos indios ha sido más o menos evangelizada o, por lo menos, ha recibido la influencia de la religión cristiana. Ésta es una realidad que hay que tener en cuenta y la iglesia tiene un importante papel que cumplir. Hay que reconocer también los excesos cometidos por algunas misiones y el paternalismo que aún subsiste. Pero en la iglesia latinoamericana se respira un aire innovador y después de haber sido la enemiga de los indios al favorecer su explotación económica y su opresión cultural y política, parece que se va convir-

[77] I Asamblea de Jefes Indios, Diamantino, Mato Grosso, 17-19 de abril de 1974 en *Vozes* núm. 3, año 70, abril de 1976, p. 198.

[78] II Asamblea de Jefes Indios, Cururú, estado de Pará, Brasil, 8-14 de mayo de 1975.

tiendo cada vez más en su aliada, dejando de lado el paternalismo ancestral. Algunos indios, no obstante, hablan del "neopaternalismo" que, según ellos, caracteriza la actual actitud de los religiosos para difundir mejor el cristianismo.

Se rechaza la iglesia como institución, pues la institución religiosa representa un instrumento del colonialismo. Por lo que respecta a la religión cristiana propiamente dicha, ésta es un producto de la cultura occidental y su interpretación del mundo no les satisface plenamente, ni corresponde a su cosmovisión. Por ejemplo, el dualismo de las religiones monoteístas occidentales es difícilmente conciliable con la cosmogonía india de unidad universal. Por tanto, la adhesión a la religión cristiana supone el abandono de valores inherentes a la cultura india. La penetración de las religiones extranjeras tiene una función de destrucción cultural, la ruptura de la "armonía" tal y como la perciben los indios.

A pesar de ello, algunos grupos aceptan alianzas con los sectores más progresistas de la iglesia, pues la tendencia actual ya no es imponer la religión cristiana, sino dejar la "conversión" a la libre elección de los propios indios. El ejemplo más típico es el de los salesianos en la región shuar, Ecuador: después de haber llevado a cabo la labor evangelizadora tradicional, ahora aceptan la coexistencia con el pueblo shuar sin imponer creencias, sino tratando más bien de reforzar su organización. Los salesianos colaboraron en la creación de la Federación de Centros Shuar, pero los indios supieron deshacerse de su tutela y tomar el poder decisorio en la organización.

Por otra parte, en algunos casos solamente la iglesia puede denunciar los abusos, con la ventaja de tener un amplio auditorio nacional e internacional (conflictos agrarios y exacciones cometidas por los blancos en Brasil, Perú, Ecuador, etc.). También contribuye a difundir información sobre los indios ofreciéndoles la posibilidad de dar a conocer sus luchas, su ideología y el desarrollo de sus organizaciones.

7. *El racismo*

Otra de las ideas básicas en las denuncias y protestas de los indios es el problema de la discriminación racial que no puede ser ignorado y si alguna vez lo es, voluntaria o involuntariamente por los no indios, los indios mismos ciertamente no lo ignoran, pues son los primeros en sufrirlo, ya sea en Guatemala, México, Perú, Bolivia, Colombia, etc. El racismo ha sido uno de los instrumentos de la dominación europea sobre los pueblos autóctonos; al considerarles de raza inferior, se justificaba su explotación y opresión. Actualmente, el racismo presenta otras formas: ya no se dice que los indios son "inferiores" sino que están "subdesarrollados", constituyen un "freno al desarrollo", son "ignorantes" y es preciso "educarlos", etc. Estas interpretaciones corresponden a la visión etnocéntrica de los no indios que se consideran siempre superiores. Vemos entonces cómo el paternalismo permite la reproducción del racismo cuando se dirige a los pueblos oprimidos. La política indigenista, paternalista, ha mantenido a los indios en la condición de asistidos, haciéndoles pasar por inferiores respecto a los no indios, favoreciendo entre éstos reacciones de superioridad y racismo. Las mismas instituciones establecen a veces un tipo de discriminación étnica: hay países, por ejemplo, en los que la legislación considera a los indios como menores, sometidos a tutela especial, o les obliga a llevar una tarjeta de identidad especial para poderlos controlar mejor, como sucede en Sudáfrica.

La denuncia del racismo es más fuerte en los países de mayoría india y relativamente débil en aquellos donde son minoría: la discriminación racial es proporcional a la población india. Por ejemplo, a los indios de Bolivia se les reprocha muy a menudo el conceder demasiada importancia al problema racial, pero no se debe olvidar que en este país los indios padecen los efectos de una política deliberada contra ellos: podemos citar como ejemplo la esterilización de las mujeres, la inmigración de poblaciones blancas de Sudáfrica en sus tierras con el fin de romper su equilibrio étnico y su combatividad.

Por lo tanto, hay que saber matizar al enjuiciar a los movimientos que dan tanta importancia al problema racial; en realidad, no son movimientos racistas, como pretenden sectores tanto de derecha como de izquierda, basándose muy a menudo en los razonamientos de ciertos indios que viven en Europa y ofrecen una imagen falseada que no corresponde a las verdaderas motivaciones de los movimientos indios. De esta forma, se alimenta un discurso cuya finalidad es ignorar la importancia del movimiento indio y desacreditar sus organizaciones frente a otros sectores sociales. Para estos últimos, la finalidad es política y estratégica, respondiendo al temor de que se desperdiguen fuerzas populares que sería preferible canalizar en partidos políticos y otros movimientos de corte europeo. Una desconfianza inicial sería comprensible, pero un análisis más detenido tendría que permitir a los no indios comprender que el potencial revolucionario de los pueblos indios a priori no contradice los movimientos populares de otros grupos sociales o étnicos.

Acusar a los movimientos indios de racismo carece de fundamento. Los textos indios denuncian el racismo de los no indios y reivindican la identidad india, de ahí que se confundan (voluntariamente o no) los términos "indio" y "etnia", atribuyéndoles una connotación únicamente racial. Todo nuevo planteamiento ha de hacerse a este nivel, sobre todo por parte de los sectores no indios que se consideren realmente progresistas.

Hay que señalar, sin embargo, que algunas organizaciones de izquierda han comenzado a ocuparse muy a fondo del problema del racismo. En Guatemala, por ejemplo, la organización guerrillera ORPA en una de sus publicaciones analiza "La verdadera magnitud del racismo" y reconoce que el fenómeno impregna toda la sociedad guatemalteca. Entre otros aspectos, señala cómo el racismo es un factor en el cálculo del plusvalor.

8. *La identidad étnica*

La identidad étnica es uno de los temas fundamentales de las reivindicaciones indias; sin ella, las organizaciones indias no existirían. Por lo general, los propios indios definen a las distintas etnias como "nacionalidades"; en algunos casos se trata de "minorías nacionales" (Colombia, México, etc.), pero en otros, las distintas etnias forman una "mayoría nacional" (Bolivia, Guatemala). Éstas pueden conjugar sus objetivos comunes de acuerdo con una "unidad indígena", como manifiesta el CRIC de Colombia: "La consigna 'unidad indígena' tiene plena vigencia y corresponde a los intereses comunes de las nacionalidades indígenas frente a la nación colombiana".[79]

O como MISURASATA, de Nicaragua, que reúne las tres etnias de la Costa Atlántica (miskito, sumu y rama): "Propugnamos que nuestra patria sandinista sea un estado verdaderamente multiétnico, en el cual cada etnia tenga derecho a la autogestión y a la libre elección de alternativas sociales y culturales." [80]

La organización étnica corresponde al grado de organización más afín a la comunidad (consejos indígenas, etc.). Por ejemplo, el CRIC (Colombia) es el órgano de expresión de las diferentes etnias reunidas en los resguardos del Valle del Cauca: paeces, guambianos, etc. El CRIVA (Colombia) reagrupa las diferentes etnias del Vaupés.

Los términos "indio" o "indígena" se utilizan en sentido genérico y no corresponden a una etnia determinada sino a un conjunto de etnias o "nacionalidades". A nivel de etnia propiamente dicha, observamos la existencia de consejos étnicos: por ejemplo, el Consejo Aguaruna y Huambisa en Perú, el CRIC y el CRIVA en Colombia, los Consejos Supremos en México. A nivel nacional, la organización india se denomina Movimiento (Movimiento Indio Tupac Katari, de Bolivia) o Coordinación (Coordinación de las Nacionalidades Indígenas de Ecuador), o también Consejo (Consejo Nacional de los Pueblos Indígenas, México). A nivel internacional, volvemos a encontrar Consejo y Coordinadora (Consejo Indio de Sudamérica,

[79] *La política del CRIC y el periódico Unidad Indígena.* Popayán, febrero de 1977.

[80] MISURASATA, *Lineamientos generales*, Miskito Sumu Rama Sandinista Aslatakanka, La unidad indígena de las tres etnias del Atlántico de Nicaragua, Managua, 1980, Año de la Alfabetización.

Coordinadora Regional de los Pueblos Indios de América Central).

La identidad étnica, reivindicada por todos los indios, es lo que más les niegan los no indios que persisten en querer considerarles solamente campesinos: "La etnicidad no es una cuestión de oficio. Nuestros hermanos de Bolivia señalaron ya hace algún tiempo que también los mineros, los obreros fabriles y los que trabajan en cualquier otra actividad pueden también ser indios." [81]

Un quechua no dejará de ser quechua si tiene que emigrar a Lima, sin embargo: "La defensa de la etnicidad no debe ser una forma de taparse los ojos frente al problema de clases sociales que, como bien sabemos, se están formando ya en nuestras comunidades." [82]

No se ignora el problema de clases, pero hay que darle su justa dimensión. Los indios del CRIC consideran que forman parte del movimiento campesino, pero "que por las características propias tales como la organización interna, la lengua, costumbres, etc., tenemos derecho a nuestra organización particular que debe ser respetada".[83]

Por último, otro punto esencial que merece ser puesto de relieve es el potencial revolucionario que lleva consigo la toma de conciencia étnica. Es decir, la toma de conciencia política puede ser el resultado de la toma de conciencia étnica: "Las poblaciones indígenas pueden actuar con conciencia política a partir de una conciencia étnica." [84]

[81] Carta Abierta del Consejo Mazahua (México) a los Hermanos Indios de América, en ocasión del I Congreso de los Movimientos Indios de América del Sur, 1980.

[82] *Ibid.*

[83] *Unidad Indígena,* núm. 20, p. 9. Resoluciones del CRIC en Tomala, 25 de febrero de 1977, cuando la ruptura con la ANUC.

[84] MISURASATA, *Lineamientos Generales,* cit., p. 13.

En otro plano, la toma de conciencia india, traducción a nivel nacional e internacional de la toma de conciencia étnica, puede ser la fuente de luchas y cambios considerables con el desarrollo, no sólo del nacionalismo, sino también del internacionalismo indio. Esta toma de conciencia étnica y, en sentido más amplio, india, se basa cada vez más en la filosofía del indianismo que analizaremos a continuación.

9. *El indianismo*

La filosofía indianista se fundamenta en la visión cósmica de la vida y del mundo que para el indio significa equilibrio y armonía entre los distintos elementos de la naturaleza, de la cual él mismo es parte integrante. El indianismo es también la búsqueda y la identificación con el pasado histórico, pues pasado y presente forman un todo inseparable, basado en la concepción colectivista del mundo.

Según Fausto Reinaga, sin duda el primer ideólogo indio que contribuyó a la difusión actual de esta ideología, el indianismo constituye el socialismo indio: "Es un movimiento indio revolucionario que no desea asimilarse a nadie; se propone liberarse. . . el indianismo es: el indio y su revolución." [85]

En estos últimos años, el concepto de indianismo se utiliza cada vez más, respondiendo a la necesidad por parte de las organizaciones indias de contar con una base ideológica sólida y válida para todos los pueblos de América. En 1974, el indianismo no aparece aún en el Primer Parlamento Indio Americano del Cono Sur, pero ocupa un lugar esencial en el I Congreso de Movimientos Indios de América del Sur, en 1980.

[85] *Manifiesto del Partido Indio de Bolivia,* La Paz, Bolivia, Edición PIB, 1970.

Punta de lanza de la lucha ideológica, la filosofía indianista parece haberse desarrollado especialmente con organizaciones como el MIP de Perú y el MITKA de Bolivia, es decir organizaciones que preconizan la lucha de liberación nacional. También se difunde por la expansión del internacionalismo indio para convertirse en el motor ideológico de los pueblos oprimidos de América. Con el indianismo, estos pueblos disponen de un instrumento ideológico que les permite plantear la lucha en términos filosóficos y teóricos, haciendo al mismo tiempo una crítica de las filosofías y teorías occidentales ajenas a su realidad. Sin embargo, no hay que considerar el indianismo como ideología opuesta a la filosofía occidental, sino diferente: "Al combatir a occidente le oponemos no su contrario, sino un nuevo pensamiento." [86]

En el Congreso de Ollantaytambo (Perú, 1980), la mayoría de los delegados proclamaron el indianismo como base ideológica de la acción política: "Reafirmamos el INDIANISMO como la categoría central de nuestra ideología, porque su filosofía vitalista propugna la autodeterminación, la autonomía y la autogestión socioeconómico-política de nuestros pueblos y porque es la única alternativa de vida para el mundo actual en total estado de crisis moral, económica, social y política." [87]

El indianismo se basa en una concepción del mundo según la cual el cosmos y la tierra son colectivistas, la naturaleza y el universo se rigen por leyes y principios comunitarios que garantizan la armonía del mundo: "Todo en el Cosmos es colectivista; todo está unido, hermano, vinculado

[86] Guillermo Carnero Hoke, "Teoría y práctica de la indianidad", *Cuadernos Indios* núm. 1.

[87] *Conclusiones del I Congreso de Movimientos Indios de América del Sur*, 1980.

entre sí, de modo que todo ser, todo fenómeno, toda cosa, son parientes las unas de las otras, hermanas de un gran todo que procesa en mil formas pero que, al final, concluyen siendo lo mismo en el gran caldo de cultivo de la energía cósmica." [88]

La concepción india del mundo se caracteriza por la búsqueda del equilibrio cósmico, a diferencia de la concepción occidental que, según los indios, es contraria a las leyes de la naturaleza, pues al querer separar sus elementos, rompe la armonía entre ellos. Esto llevará la civilización occidental a la decadencia, es decir, a la muerte. Estas profecías apocalípticas pueden parecernos exageradas; no olvidemos, sin embargo, que obedecen al grado de opresión y explotación que los pueblos indios han sufrido durante siglos. La lucha ideológica es una estrategia primordial; los indianistas quieren combatir el occidente en el terreno científico e ideológico. Algunos de ellos, sin embargo, caen en un maniqueísmo discutible: todo lo que es occidental es malo y todo lo que es indio es bueno.

"Nosotros los indios latinoamericanos no podemos aceptar la moral, la religión, la filosofía y la ciencia occidental, porque ellas no son justas, ni éticas, ni científicas. Nosotros demostramos que el pensamiento de nuestros abuelos del Tawantinsuyo es justo, moral, científico y cósmico, es decir, insuperable." [89]

Hay que reconocer que algunos indianistas, una minoría a decir verdad, idealizan el mundo indio, pero esto no debe falsear la visión de esta filosofía que, como decíamos se caracteriza por su diferencia, y no por oposición, frente al occidentalismo, por su "novedad" para los no indios. Lo que

[88] Guillermo Carnero Hoke, "Teoría y práctica de la indianidad", cit.

[89] *Ibid.*

sí es nuevo es que sus intelectuales elaboren la teoría del indianismo, filosofía que hasta hoy únicamente había sido "vivida", sin ser elevada a un nivel teórico.

El indianismo se concibe como fuerza motriz e inspiradora de los futuros cambios políticos y unificadora a nivel continental de todos los movimientos indios.

10. *Perspectivas*

No pretendemos enumerar aquí todas las perspectivas que se desprenden de los planteamientos indios, pues son múltiples y ricas y cada una de ellas podría ser objeto de un análisis detallado y constructivo en la perspectiva del desarrollo.

En el aspecto político, observamos la unanimidad del deseo de *autodeterminación*. Los indios de Venezuela recuerdan que la Carta de las Naciones Unidas contempla el derecho de las minorías étnicas a la autodeterminación;[90] el Congreso de Ollantaytambo insiste en la autodeterminación política inspirada por el indianismo. Las conclusiones de este Primer Congreso de Movimientos Indios de América del Sur toman en consideración dos posibilidades:

— cuando el pueblo indio es mayoritario, su objetivo será la toma del poder político;

— cuando es minoritario, "se reservará el derecho de decidir su acción inmediata a la cabeza de sectores populares, pero sin comprometer su autonomía política y su identidad étnico-cultural".

La primera opción evoca el poder indio, objetivo de los movimientos llamados de liberación na-

[90] Acta Constitutiva de la Confederación de Indígenas de Venezuela, 1973.

cional como el MITKA de Bolivia y otras organizaciones peruanas. El MITKA insiste sobre el hecho de que el pueblo indio es una nación y su lucha ha de ser independiente de influencias europeas o europeizantes. En 1978, en el diario *Presencia* (La Paz, 23 de mayo de 1978), el MITKA declaró: "Postulamos un estado boliviano basado en la confederación de sus naciones reales que libre y voluntariamente conformen un estado plurinacional y pluricultural."

También en Nicaragua encontramos el tema del poder indio: MISURASATA apoya la revolución sandinista considerándola expresión de la voluntad popular y pone su confianza en el desarrollo de ese principio que "permitirá al país tener gobiernos que sean realmente representativos del poder popular nicaragüense, del que sea parte el poder indígena".[91]

Los indios de Nicaragua, por tanto, se integran al proceso sandinista, considerándose nicaragüenses e indios, a la vez, de sus etnias respectivas. Éstas reclaman la participación directa de las comunidades indias en la acción político-económica de la nueva república y una participación directa también en el Instituto Nicaragüense de la Costa Atlántica (INICA).[92]

En Venezuela también encontramos la identificación con la sociedad nacional, reivindicando al mismo tiempo la diferencia. Es el caso igualmente de los shuars que se reconocen ecuatorianos.

Esta postura se manifiesta tanto en poblaciones minoritarias (Venezuela, Nicaragua) como en poblaciones que ya gozan de cierta autonomía dentro de la sociedad: no discuten su pertenencia a la na-

[91] MISURASATA, *Lineamientos Generales,* cit.
[92] *Ibid.*

cionalidad venezolana, nicaragüense o ecuatoriana, pero sí quieren llegar a una integración nacional armónica, basada en un intercambio justo entre nacionalidades. Se rechaza la integración unilateral al sistema dominante, preconizando el desarrollo autónomo: ésta es la actitud que se observa en todos los encuentros y constituye una crítica unánime a las políticas indigenistas oficiales.

Para alcanzar estos objetivos, se plantea el problema de las alianzas. Algunos movimientos las rechazan para evitar ser recuperados por formaciones políticas no indias, sin embargo aceptan sin problemas la participación de no indios en su lucha, siempre y cuando reconozcan el liderazgo indio. Las fuerzas progresistas podrían, si lo desean, defender y seguir el movimiento indio; aquí se trata de integración pero de signo contrario: integración a la nación india para instaurar el poder indio según un programa propio.

Por su parte, el CRIC de Colombia considera que es perfectamente posible luchar sobre dos frentes: por la unidad de los indios y por la unidad de los sectores explotados, sin que las dos perspectivas se confundan.[93]

La necesidad de organizarse es otro *leitmotiv* en los encuentros indios y es paralela a la concienciación de la población india. La organización tiene que desarrollarse a distintos niveles: regional, nacional e internacional.

A nivel regional: promover la creación de organizaciones étnicas, el desarrollo de las comunidades y de las relaciones entre ellas.

A nivel nacional: el esfuerzo ha de concentrarse en el logro de la unificación de los movimientos

[93] *La política del CRIC y del periódico Unidad Indígena*, Popayán, febrero de 1977, p. 2.

indios. Ejemplo: Consejo Nacional de Coordinación de las Nacionalidades Indígenas del Ecuador, Unión de Naciones Indígenas en Brasil, etcétera.

Finalmente, a nivel internacional, los movimientos indios organizan congresos y encuentros, de los que hemos hablado ampliamente. Los pueblos indios de Centroamérica están representados en CORPI, los de América del Sur en el CISA. En agosto de 1981, este último comprendía 33 organizaciones de casi todos los países de América del Sur. Tanto el CISA como CORPI forman parte del Consejo Mundial de Pueblos Indígenas.[94]

En el aspecto de organización social, el Congreso de Ollantaytambo aspira a la revitalización del ayllu, del calpulli y de otras formas de organización india. El CRIC de Colombia trata de fortalecer los Cabildos. En todos los congresos se insiste sobre la importancia de la organización en comunidades.

En el campo de la cultura, el tema del pluralismo cultural es una constante y la diferencia se concibe como factor de progreso. El pluralismo cultural no puede desarrollarse sino en el respeto mutuo de todas las culturas, sin pretender la superioridad de una sobre otras. Para que el pluralismo sea viable, es necesario crear las condiciones para el desarrollo de cada cultura y, en primer lugar, reconocer oficialmente las lenguas autóctonas. La política educacional tiene que favorecer la enseñanza en lengua materna, sin eliminar la del español, con maestros indios bilingües, y su contenido tiene que transformarse para corresponder a los valores de los pueblos que la reciben. Es necesario, igualmente, comprender y conservar los

[94] *Pueblo Indio*, portavoz del Consejo Indio de Sudamérica, año 1, núm. 1, septiembre-octubre de 1981, p. 37.

aspectos que les convienen de la cultura no india. Se otorga gran importancia a la enseñanza de la historia, necesaria para recuperar la cultura, y prospera la idea de crear universidades indias.

El desarrollo que se les impone es un "falso desarrollo": "con el pretexto de un falso desarrollo, se ha pretendido integrarnos a este tipo de modelo negador de nuestra identidad como pueblo y de nuestra dignidad como personas humanas";[95] "un falso desarrollismo importado del exterior".[96] Rechazan la integración al sistema capitalista que provoca la desintegración de las estructuras comunitarias y crea clases sociales en el seno de la comunidad. El tipo de desarrollo de las diferentes nacionalidades indias tendrá que basarse en la autogestión económica y cultural y sobre el desarrollo comunitario, en el marco de la autodeterminación política. La reivindicación del comunitarismo es una constante. Las empresas tienen que ser colectivas y las cooperativas, populares.[97] Los indios de México reclaman un mercado indio libre de traficantes, comerciantes e intermediarios. La propiedad de la tierra tiene que ser colectiva. La economía india tiene que reorganizarse según los intereses de los propios pueblos.

El Congreso de Ollantaytambo (1980), resuelve:

—hacer prevalecer el derecho natural de posesión ancestral de la tierra por los indios;

—promover actividades económicas propias que permitan superar el nivel de vida de las comunidades;

—exigir a los gobiernos la participación porcen-

[95] *Acta Constitutiva de la Confederación de Indígenas de Venezuela*, 1973.

[96] *Manifiesto de Tiahuanacu*, 1973.

[97] *Unidad Indígena*, año 2, núm. 16, septiembre de 1976, p. 6.

tual de las regalías que los estados obtienen por el turismo;

—exigir la explotación de los recursos naturales localizados en tierras comunitarias por los mismos dueños indios.

Aunque el desarrollo integral de los pueblos indios difiera del occidental, esto no significa el rechazo de las ventajas que ofrecen la ciencia y la técnica, que los indios consideran una conquista de la humanidad, pero la técnica no ha de utilizarse para oprimir y explotar, sino para ponerla al servicio de la agricultura, de la ganadería, etc., técnica moderna y conocimientos indios son complementarios.[98]

Otro campo en que la complementariedad de los conocimientos puede manifestarse es la medicina. Con mucha frecuencia, en encuentros y congresos se ha discutido la revalorización de la medicina tradicional y la formación de personal sanitario, la supresión del control de la natalidad en las comunidades; que el personal médico no indio respete las culturas indias y que la medicina se practique en beneficio de los pueblos y no de intereses particulares. . .

"La recuperación de nuestra ciencia forma parte de la lucha general por la recuperación de la cultura indígena como lo establece uno de los puntos del programa del CRIC y las demás organizaciones indígenas del país." [99]

VIII. CONCLUSIONES

A pesar de que no ha sido posible hacer un estu-

[98] V Congreso del CRIC, marzo de 1978.

[99] *Unidad Indígena,* año 1, núm. 9, noviembre de 1976, p. 6.

dio completo de todas las organizaciones en todos los países de América Latina, podemos esbozar algunas ideas generales. En primer lugar, los temas reivindicativos que se repiten:

— *la tierra* con la crítica constante a la propiedad privada creada por la civilización occidental. Reivindicación del comunitarismo, del colectivismo indio, de un nuevo socialismo fundado en la autogestión de las comunidades en el ámbito de una sociedad plurinacional. La propiedad privada se concibe como fuente de discriminación, de creación de clases sociales y, a largo plazo, de desintegración de las comunidades;

— *la cultura*: idea del pluralismo cultural, de interculturación fecunda entre culturas diferentes. Desarrollo cultural sin el predominio de una cultura sobre las demás;

— *recuperación de su propia historia;*

— la situación colonial de los pueblos indios les induce a reivindicar la *autodeterminación* que les conducirá sea a la autonomía en el ámbito de los estados ya existentes, sea a la liberación nacional. Estas estrategias responden al porcentaje de población india existente en cada país;

— *ser sujeto y no objeto*: los pueblos indios tienen que contar sobre sí mismos para liberarse;

— *la armonía*: este tema se refiere no solamente a las relaciones con la tierra, sino también a las relaciones entre los hombres. La organización social india trata de reproducir la armonía existente entre los distintos elementos de la naturaleza. Además, su sentido de protección al medio ambiente es muy semejante al de ciertos movimientos ecologistas occidentales que apoyan a los movimientos indios y simpatizan con ellos;

— *el indianismo*: fundamento ideológico de las organizaciones indias, aparece como el germen de una nueva teoría en elaboración: la lucha de los pueblos indios oprimidos. La cultura de resistencia ha reproducido su propia ideología y cumple una función de oposición que se manifiesta tanto en la cultura como en la economía (recuperación de tierras), en la religión (simbiosis entre creencias indias y no indias), la política (reproducción de las autoridades locales, desarrollo de las organizaciones indias, etc.). La lucha ideológica entre indianismo y occidentalismo no trata de eliminar una de las dos tendencias, sino de afirmar su diferencia;

— *toma de conciencia étnica* necesaria para la concienciación política de los pueblos indios;

— reivindicación de la *autogestión* en todos los aspectos (económico, cultural, etc.);

— estudio científico de la *medicina indígena*. Revalorización de los conocimientos populares;

— en los países andinos, la *restauración del Tawantinsuyu,* a veces con posturas no exentas de cierta dosis de idealismo, pero que forma parte de la recuperación de la historia. El tema del retorno (aquí el del Tawantinsuyu) es uno de los elementos de la mentalidad india para quien la historia es cíclica;

— *las alianzas,* en general, se toman en cuenta, salvo algunos movimientos andinos que, por lo menos hasta ahora, aceptan la participación de otras fuerzas sociales sin aliarse con ellas, pues consideran que la lucha de liberación nacional engloba todas las demás;

— *el poder indio* es un tema frecuente sobre todo en Bolivia y en el Perú.

Para los indios en cuanto pueblos, la lucha está entre la civilización occidental y las civilizaciones indias. Ellos proponen una alternativa de civilización y desarrollo sin pretender eliminar la civilización occidental, pero negándose a dejarse absorber por ella. Es una lucha por el *derecho a la diferencia.*

Las distintas posturas indianistas muestran cómo los movimientos indios pueden dar más importancia sea a la lucha en cuanto pueblos oprimidos, sea a la lucha en cuanto clases sociales explotadas; en ambos casos, las eventuales alianzas dependerán de la postura de los otros grupos. Éstos por su parte, pueden reconocer las organizaciones indias en cuanto tales (la ANUC, antes de la ruptura con el CRIC, en Colombia) o ignorar a los pueblos indios en cuanto fuerza social, eliminando la posibilidad de una lucha común. De hecho, algunos movimientos rechazan las alianzas justamente porque los no indios no reconocen su especificidad. El CRIC ha tenido la posibilidad de luchar junto con otros sectores explotados, defendiendo siempre su autenticidad india. Hasta donde hemos podido comprobar, ningún partido o sindicato, en ningún país, acepta luchar al lado de los indios en cuanto tales. Si el indio, en cambio, acepta la sola condición de campesino (renegando de su indianidad), la participación está garantizada, es decir, puede participar en las organizaciones políticas no indias a condición de estar incluido en una clase social, para entrar en las estrategias occidentales. Paradoja: los marxistas latinoamericanos quieren la desaparición de las clases sociales, pero la única forma de luchar al lado de los indios es hacerlos entrar en las clases sociales... El problema se sitúa a niveles teóricos y estratégicos.

El desarrollo de las organizaciones políticas indias responde al hecho de que los indios no pueden participar en cuanto tales en las demás organizaciones, y a la política indigenista integracionista. Al no encontrar ninguna posibilidad de expresión en las organizaciones no indias, tienden cada vez más a reagruparse al margen de las formaciones políticas tradicionales. Un detalle importante: por lo que se desprende del material que hemos podido consultar, los indios, por lo menos hasta ahora, no quieren formar "partidos". El "partido" tal y como existe en las sociedades occidentales, es la expresión de una o varias clases sociales y es demasiado reducido para responder al carácter cada vez más decididamente nacionalista de la lucha. Es probable que la fuerza del populismo en América Latina y su aceptación entre los indios sea precisamente este último aspecto: el discurso populista, aunque demagógico, responde mejor a la estructura mental india que el discurso de la izquierda o incluso de la derecha tradicionales. Los indios prefieren formar "movimientos", "confederaciones", "consejos", "uniones", "coordinaciones", etc. Esta terminología responde al deseo de diversidad y agilidad para adaptarse mejor a una realidad que precisamente difiere según las situaciones. La ruptura entre el CRIC y la ANUC, en Colombia, es precisamente un ejemplo del rechazo a identificarse con un partido político; en este caso, la ANUC provocó la ruptura al querer transformarse en partido. Los indios se integran más fácilmente en los sindicatos campesinos. "Sindicato" tiene la connotación concreta de una organización que los apoya en iniciativas palpables, de las que son protagonistas. "Partido", en cambio, es demasiado abstracto, lejano, urbano y responde a teorías elaboradas en realidades totalmente ajenas. Este detalle es de suma importancia para comprender por qué la participación de los indios en las organizaciones políticas tradicionales es escasa.

La organización política india propugna el internacionalismo de los pueblos oprimidos, no el proletario. Este internacionalismo, paralelo al desarrollo del nacionalismo indio, se expresa en los encuentros internacionales. Por su expansión, dicho nacionalismo puede adquirir un potencial revolucionario capaz de oponerse al nacionalismo de los estados latinoamericanos.

En cuanto a la representatividad de estos movimientos, es bastante difícil de determinar puesto que no se reduce al número de militantes de cada organización. Lo que sí se puede observar es que van ganando terreno entre las masas indias que poco a poco van tomando conciencia de su indianidad; su discurso es comprendido por la base, puesto que propone un tipo de desarrollo y de civilización que responde a la historia, a la mentalidad y a la idiosincrasia de los pueblos oprimidos; no ocurre lo mismo con los programas (cuando los hay) de las formaciones políticas que buscan las soluciones "fuera de casa".

En la actualidad, el trabajo de concienciación se lleva a cabo poco a poco y los intelectuales indios se preocupan de consolidar su ideología. Quisiéramos recordar que, en sus comienzos, el marxismo no debió dar la impresión de una representatividad mucho mayor; la toma de conciencia de pertenencia a una clase social explotada y el hecho de que esa teoría se adaptaba perfectamente al contexto europeo del que nacía, hicieron del marxismo una de las ideologías más poderosas del mundo actual. En América, estamos asistiendo, ahora, a la toma de conciencia de pertenencia a pueblos oprimidos, colonizados...

Una tendencia que se observa en muchos países es el deseo de unificar los movimientos a nivel nacional, como por ejemplo en Ecuador o en Brasil. Hay algunas iniciativas en Colombia y entre las organizaciones independientes de México.

También observamos que los movimientos más radicales (Bolivia, Perú) se forman en los países donde las políticas indigenistas niegan la existencia del indio, asimilándolo a los campesinos así como lo hacen las organizaciones no indias.

Una crítica frecuente entre los no indios: el "conservadurismo" de los indios; en nuestra opinión, esta crítica responde a una visión dualista de la sociedad latinoamericana, según la cual el progreso es característica de los no indios, y el inmovilismo de los indios. Las teorías dualistas alimentan la ideología del desarrollo occidental. Se dice que los indios rechazan cualquier cambio, pero tampoco se intenta saber si el cambio que se les propone les conviene o no. La derecha opina que son un freno al desarrollo porque rechazan la modernización, pero ¿en qué consiste, para ellos, esta modernización?: consiste en desintegración económica y cultural, marginación, proletarización. Si nos colocamos del lado indio, el freno de su desarrollo es precisamente esa "modernización" que se lleva a cabo sin consultarles, sin su participación y en beneficio exclusivo de una pequeña minoría.

Para los "progresistas", los pueblos indios son conservadores porque no se integran fácilmente en las organizaciones no indias (se dice también les falta "madurez política") y, lo mismo que la derecha, se les reprocha el rechazar la modernización. Los indios rechazan cierto tipo de desarrollo: ellos no buscan esa productividad que predican tanto la derecha como la izquierda, ni quieren luchar contra la naturaleza... Los pueblos autóctonos no quieren esa civilización que tanto la derecha como la izquierda representan, quieren construir su propia civilización, a partir de sus propias raíces. Ellos también podrían "modernizar" *su* sociedad partiendo de un proyecto original, mediante un desarrollo distinto y más apropiado. Los no indios califican de "conservador" lo que es "diferente". Sin embargo, el pretendido "conservadurismo" implica una función de oposición, una forma de resistencia a su dependencia en cuanto pueblos colonizados y también, en sentido más amplio, a la dependencia de los países latinoamericanos, mediante el rechazo de un modelo de desarrollo supuestamente universal.

En nuestra opinión, el interés de esta resistencia reside en el potencial revolucionario que posee y también en las alternativas que podemos esperar de ella. La "conservación" de los valores ancestrales, de la organización social comunitaria, de las culturas diferentes, constituyen recursos para luchar contra la dependencia creciente de estos países con respecto del centro, con la elaboración de soluciones nuevas y apropiadas, pues las importadas no hacen sino postergar los problemas y a menudo crear otros, sin solucionar nada.

3. LAS NUEVAS PERSPECTIVAS A LA LUZ DE LOS MOVIMIENTOS INDIOS

I. LA APORTACIÓN DE LOS PUEBLOS INDIOS AL DESARROLLO

En el estudio de estos movimientos, hemos tratado de mostrar la voluntad de los indios de decidir su propio destino y elaborar sus estrategias de desarrollo partiendo de sus propios valores. El nuevo desarrollo, que ellos mismos definirán, no podrá llevarse a cabo sin un cambio de estructuras. No es posible en este estudio prever de qué forma se efectuará el cambio, pues ello dependerá de las alianzas o de las rupturas que puedan producirse entre los distintos pueblos indo y latinoamericanos. Lo que pretendemos examinar ahora es la aportación de las poblaciones autóctonas al desarrollo. El estudio de los congresos indios nos demuestra que los pueblos indios están capacitados para participar en la elaboración de esas nuevas estrategias de desarrollo que los países latinoamericanos necesitan con urgencia, e incluso de dirigirlas. Esta nueva concepción nace de una visión distinta del mundo y el compendio entre las aportaciones indias y las aportaciones positivas del desarrollo occidental podrían representar una esperanza para el continente, que se hunde cada vez más en un tipo de desarrollo inadecuado y suicida (la modernización del capitalismo y sus excesos: "desarrollismo", urbanización acelerada, promoción de la industria en detrimento del sector rural y la consiguiente proletarización rural y urbana;

migraciones internas e internacionales, insuficiencia de la producción agrícola destinada al consumo interno que obliga a importar lo que podría cultivarse *in situ,* mientras se favorecen los cultivos destinados a la exportación. Marginación creciente, contrastes cada vez más profundos entre ciudad y campo, provocando una situación social explosiva. . .)

1. *Definición de las necesidades esenciales*

Según la Oficina Internacional del Trabajo, la definición de las necesidades esenciales es la siguiente: "En primer lugar, el consumo mínimo individual de una familia, es decir, alimentación, vivienda, ropa, utensilios y muebles. En segundo lugar, los servicios básicos que presta y utiliza el conjunto de la colectividad, como son: agua potable, sistema de evacuación de desperdicios, medios de transporte públicos, servicios sanitarios y posibilidad de recibir instrucción." [1]

Como toda definición, ésta también es general y tiene que ser adaptada a cada situación y sobre este punto se centra la intervención de los pueblos autóctonos. Es evidente que las necesidades esenciales varían según los pueblos y las regiones, p‹ lo que su determinación dependerá del medio y de los pueblos mismos. Para los habitantes de la Amazonia, por ejemplo, las necesidades en cuanto a vivienda, ropa, alimentación, no son las mismas que para los habitantes de la sierra. Esto implica el rechazo de modelos de consumo occidentales que no corresponden a sus verdaderas necesidades, sino más bien agravan la dependencia dentro del propio país (colonialismo interno) y del exterior

[1] Oficina Internacional del Trabajo, Ginebra, 1976.

(neocolonialismo, influencia de las multinacionales, etcétera).

Una vez definidas las necesidades esenciales, convendría estudiar cuáles son los sectores que los pueblos interesados pueden cubrir. Su aportación sería original y adaptada a un medio que conocen perfectamente, y establecerían las prioridades de esas necesidades según una escala de valores propia.

Desde este punto de vista, sería deseable que cada región definiese sus necesidades esenciales, entendiendo por región un territorio que geográficamente corresponde a un pueblo y que no coincide con fronteras fijadas por intereses ajenos a él. Es muy importante que los pueblos mismos, y no elementos extraños a su realidad, identifiquen sus propias necesidades esenciales en el contexto de un desarrollo regional basado en la creatividad autóctona y que, ante todo, cuente con sus propios recursos. Una nueva definición de desarrollo daría la prioridad al poder creativo de la población, se elaboraría sobre bases propias y no extranjeras, siguiendo una dinámica original desmarcándose de esquemas importados.

2. *La participación*

El desarrollo endógeno, autocentrado, implica la participación de las poblaciones. El primer objetivo debería ser el autoabastecimiento, es decir, la satisfacción de las necesidades esenciales con medios locales. Por otra parte, para lograr una participación plena, los problemas de alimentación, vivienda, sanidad, opresión cultural, etc., deberían solucionarse previamente. Es demagogia pretender que un pueblo hambriento, explotado económicamente y política y culturalmente oprimido, pueda "participar". La afirmación de la personalidad histórica y de la identidad étnica de los pueblos indios es también condición necesaria para participar eficazmente en el propio desarrollo y, en sentido más amplio, en el del país en que se insertan, independientemente de que el poder esté o no en manos de indios.

La diferenciación cultural podría contribuir a solucionar muchos problemas que la repetición lineal del desarrollo occidental no puede resolver. La rehabilitación de las técnicas tradicionales, menospreciadas por la "modernización" occidental, previa la necesaria investigación, podría llevar hacia otro tipo de "modernización", elaborada a partir de conocimientos autóctonos, que no separan al hombre de su entorno geográfico y cultural. Esto no significa el rechazo de todo tipo de técnica occidental, sino su utilización más crítica y selectiva. Los pueblos indios podrían planificar su desarrollo según un ritmo y un modelo original propios, sin correr el riesgo de la desintegración económica, social y cultural.

Ante todo, la participación debe existir a nivel de decisiones: esta reivindicación es particularmente fuerte en los países en que los indios son minoría, contrariamente a lo que ocurre en aquellos en que son mayoría, pues en el segundo caso no se limitan a reivindicar una participación parcial, sino la total elaboración de un programa que finalmente los lleve al poder.

3. *Las aportaciones de las culturas indias*

Sin lugar a dudas, la aportación más importante se refiere a la agricultura: los pueblos indios conocen perfectamente los ciclos agrícolas, basándose en conocimientos de meteorología y astronomía (recordemos, por ejemplo, que en el calendario maya la duración del año es aproximadamente la misma que la calculada por métodos actuales). Antes de la llegada de los españoles, los indios habían incorporado al uso doméstico gran número de productos agrícolas. Aun hoy, el viajero se asombra al ver los andenes que jalonan las laderas de los Andes: por este sistema, los habitantes de aquellas regiones podían acondicionar superficies cultivables de extensión considerable y sabían controlar los distintos pisos ecológicos para respetar la diversificación de los cultivos. El riego de los campos y de los andenes más altos se efectuaba mediante un sistema de canalizaciones cavadas a veces en la roca viva. Gracias a su conocimiento perfecto de la agricultura, los pueblos precolombinos tenían asegurada su subsistencia, salvo en situaciones excepcionales.

La utilización racional de los recursos naturales cubriría en primer lugar, las necesidades regionales y ulteriormente, las nacionales, permitiendo un desarrollo rural apto para reducir la precariedad alimentaria. Este desarrollo implica, no solamente un cambio de estructuras, puesto que el desarrollo capitalista ha sido incapaz de resolver los problemas esenciales, sino también un cambio del concepto mismo de desarrollo. En el sector agrícola, los pueblos indios no tienen prácticamente nada que aprender de los demás, salvo quizá alguna que otra nueva técnica que puede resultarles útil. El sistema colectivo de trabajo, los conocimientos populares, el cultivo en andenes, la construcción de sistemas de riego, la selección de semillas, la conservación de alimentos, son un bagaje de inestimable valor para el desarrollo rural.

Los conocimientos ecológicos son sumamente importantes, puesto que para el indio la interacción hombre-naturaleza es vital: el conocimiento de la influencia del medio ecológico sobre personas y animales es el resultado de una visión cosmogónica que le impulsa a buscar el equilibrio entre la naturaleza y los seres. Esta sabiduría ecológica, respaldada por los conocimientos meteorológicos, permitiría la explotación racional del suelo, de los bosques, de la caza, de la pesca, etcétera.

Los innumerables objetos encontrados en las excavaciones arqueológicas, así como también las actuales, atestiguan la habilidad, el dominio de la técnica y la imaginación desbordante que se manifiestan en la artesanía. Los objetos industriales la han desplazado y merecería se la revalorizase, contando con los recursos locales, pues sus posibilidades son enormes y podría convertirse en una fuente de trabajo primordial, con la ventaja, además, de ofrecer productos más adaptados y más duraderos que los industriales, sin despreciar tampoco el considerable ahorro de divisas, así como la disminución de costos de producción y el aumento de la demanda interna. Mediante la utilización de materia prima local, se podrían cubrir las necesidades en muebles, vajilla, utensilios domésticos, ropa, objetos destinados al turismo, materiales de construcción, embarcaciones, etc... El panorama de posibilidades que ofrece la manufactura del cuero y las pieles, la lana, el algodón, paja, arcilla, madera, etc... es amplísimo.

Para que la distribución de productos tanto agrícolas como artesanales no implique la explotación de los productores, la creación de cooperativas populares, que responden a las capacidades comunitaristas de los indios podrían estimular el desarrollo comunitario. Los beneficios obtenidos se destinarían a la colectividad local.

Con demasiada frecuencia, se desdeña otra aportación que podría resultar extremadamente rica:

la medicina tradicional. La desconfianza se debe principalmente a los ritos que habitualmente la acompañan, íntimamente relacionados con la dimensión psicológica y religiosa de la enfermedad. Los ritos mágicos no tienen significación alguna para los no iniciados, pero no dejan de producir su efecto terapéutico en personas emotivas. En un coloquio del INSERM (Institut National de la Santé et de la Recherche Médicale),[2] se subrayaba el hecho de que para el campesino no hay diferencia entre enfermedad somática y enfermedad mental, por lo que éstas deben estudiarse tanto como las infecciosas. Las poblaciones precolombinas sabían diagnosticar las enfermedades y diferenciarlas y conocían la cirugía (las trepanaciones craneales atestiguan conocimientos sofisticados).

Valdría la pena estudiar más a fondo los conocimientos indios referentes a las plantas y a sus virtudes terapéuticas. La farmacopea precolombina era muy extensa y sería absurdo desperdiciar unos conocimientos médicos que, adaptados por un estudio científico adecuado, reducirían considerablemente el gasto en productos farmacéuticos y, en consecuencia, la dependencia de las multinacionales que los fabrican. En muchos casos, además, los sofisticados productos de la farmacopea occidental no gozan de la aceptación entre la población india, por lo que se revelan bastante inútiles, mientras que la medicación tradicional inspira más confianza. Sería contraproducente tratar de deslindar el aspecto puramente médico de los tratamientos del ceremonial que los acompaña, pues éste forma parte de un sistema cultural estructu-

[2] INSERM, *Colloque sur l'anthropologie des populations andines*, París, Éditions INSERM, 1977.

rado y, en todo caso, el prescindir de él tendría que ser iniciativa de los indios mismos.

Las reivindicaciones indias insisten en la recuperación de los valores científicos, y en especial de la medicina, en el contexto de una estrategia global de lucha y de afirmación de su etnia y de su indianidad.

Estas reivindicaciones coinciden con los recientes planteamientos de la Organización Mundial de la Salud, según los cuales la medicina occidental no es suficiente para cubrir las necesidades de las tres cuartas partes de la humanidad, reconociendo la utilidad de los "cuidados médicos primarios" y la labor de los "médicos descalzos".[3] Por otra parte, tampoco es cierto que los indios rechacen en bloque la medicina occidental, lo que sí rechazan es su importación indiscriminada y una práctica médica que no les conviene.

En el campo tecnológico, la simple observación de la arquitectura india demuestra un certero sentido del equilibrio y unos conocimientos profundos que no han sido aún suficientemente estudiados, pero cuyos resultados podemos apreciar. Machu Pichu y la fortaleza de Sachsahuamán (Cuzco) son construcciones de una envergadura y perfección aún inexplicadas.

Por otra parte, el intercambio de productos entre los diferentes pueblos los llevó a construir una red de caminos en zonas incluso inaccesibles. . .

Las aportaciones que acabamos de enumerar sólo son una parte de un panorama mucho más vasto que ofrece a los agrónomos, arquitectos, médicos, físicos y especialistas en general, la posibili-

[3] *Le Monde*, "L'Organisation Mondiale de la Santé engage une révolution sanitaire", 21 de junio de 1978, artículo de Claire Brisset, p. 13.

dad de investigaciones "nuevas" en colaboración con los poseedores de tanta sabiduría aún desconocida para muchos.

4. *Las aportaciones filosóficas y científicas*

La filosofía india es otra aportación nueva al patrimonio cultural de la humanidad. El indianismo sólo puede ser explicado y desarrollado por los indios mismos y enriquecido por su propia experiencia. La cosmovisión india, tan diferente de la occidental, puede ofrecer una nueva interpretación de la realidad americana y las críticas a la civilización occidental pueden permitir la reflexión de los no indios sobre problemas que, desde el interior del sistema, no son capaces de reconocer. La riqueza de los futuros trabajos de investigación está precisamente en la diferencia de puntos de vista y en la voluntad de alcanzar la complementariedad filosófica, teórica y científica entre indios y no indios.

Las ciencias exactas (astronomía, matemáticas, física), también correspondían a la cosmogonía india. Su actualización podría contribuir al desarrollo de las ciencias universales e incluso, en algunos casos, poner en discusión ciertas leyes que el mundo occidental considera totalmente demostradas. El estudio científico de la cosmogonía india puede ofrecer resultados interesantes para la humanidad. La ciencia universal no puede construirse únicamente a partir de las concepciones occidentales y es muy posible que las trayectorias seguidas por los científicos indios, que parten de una observación diferente de la naturaleza, puedan llevar a conclusiones nuevas a las que los científicos occidentales, condicionados por otros métodos científicos y otras filosofías, difícilmente podrían llegar.

Las culturas diferentes pueden favorecer un planteamiento distinto de la ciencia y la adopción de nuevos métodos de investigación: "...lo que observamos no es la Naturaleza en sí, sino la Naturaleza como se presenta a nuestro sistema de investigación. En la física, nuestro trabajo consiste en hacer preguntas respecto a la Naturaleza con el lenguaje que poseemos y tratar de obtener una respuesta, a partir de una experiencia, gracias a los medios de que disponemos".[4]

La cosmogonía india se basa en la armonía del universo y en la relación existente entre todos los elementos de la naturaleza (entre el hombre y las plantas, el sol, la luna). Los seres y las cosas, unidos en el origen en un ser único, al separarse, conservaron cierta relación y aunque en apariencia están separados, los elementos de la naturaleza constituyen un todo indivisible. Esta concepción del universo tiene cierta semejanza con las últimas hipótesis de la física sobre la no separabilidad de los elementos que componen el universo. Si estas hipótesis fueran ciertas, se demostraría la validez de la filosofía india. Citemos las conclusiones aparecidas en un artículo publicado por una revista científica: "La mayoría de las partículas, o conjuntos de partículas, que en general se consideran separados, en el pasado ejercieron una interacción, bilidad parece querer significar que, en cierto junto con otros objetos. La violación de la separasentido, todos los objetos constituyen una especie de todo indivisible. Es posible que en un mundo de este tipo, el concepto de una realidad con

[4] Werner Heisenberg (premio Nobel), *Physique et philosophie,* París, Ed. Albin Michel, Sciences d'Aujourd'hui, 1961 y 1971, p. 55. [Hay edición en español.]

existencia independiente pueda conservar cierto sentido, pero será un sentido nuevo y muy alejado de nuestra experiencia cotidiana."[5]

5. *La aportación revolucionaria*

La identidad étnica y, en un sentido más amplio, la identidad india, lleva en sí un potencial de resistencia al imperialismo multidimensional y esta resistencia, a su vez, contiene el germen de la revolución, puesto que defiende una opción de sociedad y una alternativa de civilización cuya instauración no puede ser sino revolucionaria. El potencial revolucionario de los pueblos indios es capaz de contribuir y dirigir la resistencia de los países latinoamericanos contra el centralismo y el modelo de desarrollo que éste pretende imponerles. La conciencia étnica puede dar origen a la conciencia política donde se fragua la conciencia revolucionaria.

6. *La aportación civilizatoria*

Al proponer una alternativa de civilización y al querer elaborar otro proyecto de sociedad, los pueblos indios ofrecen soluciones a nivel continental: un desarrollo más racional, más equilibrado, más rural y menos urbano; un hombre "nuevo", libre de presiones extranjeras, dueño de sus propias riquezas materiales, espirituales y humanas, un "hombre nuevo comunitarista", libre del individualismo occidental. Proponen una civilización armoniosa, que respete el equilibrio entre el hombre y la naturaleza, sin los excesos de un "desarrollis-

[5] Bernard d'Espagnat, "Théorie quantique et réalité", en *Pour la Science,* edición francesa de *Scientific American,* enero de 1980, núm. 27, pp. 72-87, p. 87.

mo" a ultranza o de una industrialización devastadora. No se rechaza el desarrollo occidental en bloque, la industrialización y la urbanización se pueden aceptar, pero a condición de mantener el equilibrio. No hay incompatibilidad insuperable entre cultura india y tecnología moderna, pero la escala de valores es diferente y los indios están dispuestos a incorporar aquellos elementos que les parecen útiles y que no alteran su ritmo de vida. No quieren ser los receptores pasivos de una "civilización" impuesta, sino protagonistas de su propia evolución.

II. EL DESARROLLO PLURINACIONAL

La América Indolatina está formada por un conjunto de nacionalidades cuya localización geográfica no corresponde en absoluto a las fronteras nacidas de las guerras de independencia. Dentro de cada país independiente existe una pluralidad de "naciones" indias que no son reconocidas en cuanto tales y cuya indianidad únicamente se reconoce en algunos aspectos culturales que pueden servir intereses no indios (turismo, artesanía, etc.), el nacionalismo oficial o la demagogia populista, pero se ignoran sus aspectos políticos y económicos. La falta de autonomía de los pueblos indios y su exclusión de los proyectos "nacionales", han llevado a algunas de las organizaciones indias a radicalizar su postura y a plantear el problema indio en términos de liberación nacional; otras reclaman la autonomía dentro de las fronteras del país, una autonomía entendida como desarrollo regional en el ámbito del grupo étnico.

Todas las organizaciones son unánimes al reivindicar la autogestión de las comunidades en un sistema autónomo de nacionalidades. En los párrafos siguientes, veremos cómo podría estructurarse este nuevo desarrollo regional, inspirado en las necesidades de los pueblos mismos y no en intereses privados o estatales.

1. *El desarrollo regional*

La excesiva centralización de los países latinoamericanos no se adapta a las múltiples realidades geográficas, económicas, culturales e históricas del continente. Cada región cultural tiene su personalidad propia, fuente insustituible de riquezas para un desarrollo diversificado, pues cada región tendría algo original que aportar al desarrollo del país. Tomemos el ejemplo del Perú: este país se divide en tres grandes regiones: costa, selva y sierra y cada una de ellas comprende subregiones que corresponden a diferentes grupos étnicos: quechuas y aymaras en la sierra y multitud de grupos étnicos diferentes en la selva. Independientemente del tipo de poder central (indio o no indio o ambos a la vez) sería posible imaginar un desarrollo diferenciado:

— en la sierra, desarrollo comunitario y en cooperativas; autogestión de las comunidades indias y de las cooperativas, haciendo que éstas respeten las tierras de las comunidades limítrofes (actualmente, éste es uno de los principales motivos de ocupación de tierras). En algunas zonas, desarrollo de la minería;

— en la Amazonia, desarrollo comunitario de los distintos grupos étnicos. Explotación forestal, promoción de la pesca y del comercio en las zonas fluviales. Los pueblos de la selva deberían tratar de cubrir sus necesidades esenciales utilizando los recursos locales, lo cual supone abandonar los esquemas de vida de los centros urbanos, para que la región dependa lo menos posible de las importaciones (y, sobre todo, de los importadores). Desarrollo de la selva y protección de la naturaleza según criterios ecológicos;

— en la costa, desarrollo de las grandes cooperativas para el cultivo de productos destinados a la exportación (azúcar, algodón, etc.), necesaria para la entrada de divisas. Promoción de la pesca; desarrollo urbano equilibrado. El desarrollo de la costa será obligatoriamente más "occidental", dadas las características de la población y sus actividades.

Cada región tendría un tipo de desarrollo original, en el ámbito de una sociedad socialista, de raíces americanas plurinacional y pluricultural, que precisaría de la planificación de los grandes sectores económicos, pero respetando la autonomía tanto de las regiones como de los pueblos y naciones que las habitan. Esta autonomía permitiría el desarrollo endógeno a nivel regional, en el sentido de que la región produciría de acuerdo con sus recursos y sus propias necesidades. El intercambio con las demás regiones o naciones, permitiría la adquisición de los bienes que ella misma no puede producir y el intercambio con las grandes aglomeraciones sería más equilibrado, no ya basado en el colonialismo interno, pues la autonomía lleva consigo la descolonización. El plusvalor, que en otro contexto hubiera beneficiado al centro, se recupera bajo forma de infraestructuras y servicios sociales.

Según criterios occidentales, habría regiones más "modernas" que otras, pero esto no es motivo de discriminación regional o étnica, puesto que todas ellas contribuirían de forma original y diferente al desarrollo del país. A nivel "nacional", podríamos ver la complementariedad, en lugar de la dependencia entre regiones, cada una de ellas en su personalidad económica, histórica y cultural. El desarrollo sería plurirregional, "plurinacional" para ser exactos, y pluricultural.

Este tipo de desarrollo no es compatible con el capitalismo; podría coexistir, sin embargo, con un socialismo típicamente americano, inspirado en la tradición comunitaria india y respetuoso de la diversidad de los pueblos en sus aspectos económico, social, histórico, cultural y ecológico. La solución, además, no puede ser uniforme, sino diversificada según las escalas de valores, las necesidades y aspiraciones de cada pueblo. Creemos que este desarrollo diferenciado es un estímulo inigualable pues los pueblos mismos varían los frutos concretos de un esfuerzo que responde a motivaciones propias. En el desarrollo diferenciado, la creatividad local y la participación con vistas al desarrollo regional son prioritarios. A nivel de país, los diferentes tipos de desarrollo se integrarían en una interrelación más constructiva y multilateral.

En esta perspectiva, no es adecuado hablar de nivel de desarrollo, concepto que solamente se refiere a sociedades industrializadas que asimilan desarrollo a crecimiento económico y a la adquisición del bienestar material, como si los países del tercer mundo tuviesen que convertirse en "desarrollados" pasando obligatoriamente por las mismas etapas, o incluso quemándolas. No se trata de condenar la industrialización, sino de utilizarla de forma racional, según lo que las poblaciones interesadas consideran racional y sin absorber la economía local. Por ello, nos parece preferible hablar de desarrollo diferenciado y el hecho de reconocer la diferencia equivaldría a reconocer el potencial de desarrollo auténtico de los pueblos americanos. Algunas regiones tendrían un desarrollo más industrial (agroindustria, minería, energía, etc.) y otras, un desarrollo comunitario basado en la ganadería, la agricultura, la artesanía. En términos occidentales, el segundo sería más "tradicional"; esto no significa que no pueda seguir su propio ritmo evolucionando hacia nuevas formas adaptadas a la realidad, y contribuyendo al desarrollo del país, una contribución establecida en acuerdo con las autoridades locales o comunitarias, verdaderas representantes de los pueblos, según las necesidades y el bien común.

Un desarrollo diferenciado, plurinacional y multirregional, contaría con la adhesión y la participación activa de los pueblos, en particular de los indios, que podrían promover un desarrollo acorde con su propia concepción del mundo, con sus aptitudes y aspiraciones. El sustrato cultural nos parece un soporte importante para el desarrollo; en efecto, en muchos casos, los proyectos de desarrollo basados en el individualismo no han progresado. Muchos proyectos de reforma agraria, por ejemplo, han fracasado por esta razón. Por otra parte, la participación india será tanto más activa cuanto más se respete la idea colectivista. Un estudio de casos de Silvia Sigal demuestra que el grado de participación de la población india disminuye con la idea de propiedad privada, mientras que la idea de propiedad colectiva favorece la participación popular.[6]

A la vista de las propuestas indias, éste parece

[6] Silvia Sigal, "Participación y Sociedad Nacional: el caso de las comunidades rurales en Latinoamérica", *Revista latinoamericana de sociología* 67/2, núm. 2, vol. III, Buenos Aires, julio 1962, pp. 232-285. Estudio de casos de la comunidad de San Juan Sur, en Costa Rica, p. 255.

ser el tipo de desarrollo deseable: dirigido hacia el interior y no hacia el exterior. Un desarrollo "endógeno" que reduciría la dependencia del extranjero y, a nivel nacional, la dependencia respecto a zonas más industrializadas y los grandes centros urbanos. La lucha contra la dependencia sería más eficaz si se promocionaran y utilizaran racionalmente las "aportaciones internas".

2. *Aspecto socioeconómico*

El desarrollo regional que acabamos de describir, promovería el desarrollo socioeconómico de la región basándose esencialmente en el desarrollo rural, condición necesaria a todo desarrollo equilibrado. En América Latina predomina el sector agrícola, por lo que todo proyecto de desarrollo ha de tenerlo en cuenta. Un desarrollo rural regional, contribuiría a estabilizar la población frenando la movilidad horizontal de los campesinos, tanto indios como no indios. El desarrollo rural equilibrado supone un cambio de estructuras (por tanto, las condiciones políticas necesarias) y la creación de una infraestructura adecuada: construcción de carreteras, sistemas de riego, recuperación de tierras no cultivadas, ampliación de la frontera agrícola, construcción de hospitales y escuelas, creando las condiciones necesarias para que la población permanezca y pueda vivir en su propio medio.

El desarrollo rural de las regiones autónomas requiere la determinación de prioridades en un conjunto de cambios estructurales (tenencia de la tierra, relación trabajador-medios de producción, etcétera):

– agricultura de víveres y ganadería con vistas al autoabastecimiento de la región;

— agroindustria, industria de bienes de consumo de uso corriente (industria ligera, alimentaria, etc.) necesarias a la región;

— explotación de las energías locales para evitar la dependencia de otras zonas o del extranjero;

— promoción de la artesanía en el sentido más amplio del término;

— utilización de técnicas populares que permitan la participación activa de la población, evitando el empleo de material sofisticado que únicamente puede manejar un número reducido de personas. Se recurrirá a la importación de tecnología sólo cuando se hayan agotado otras soluciones o éstas resulten ineficaces.

Cada región debería diversificar al máximo su producción, evitando en lo posible el monocultivo que crea la dependencia. Sería conveniente que se importase de las demás regiones o del extranjero sólo lo estrictamente necesario. Como ya apuntábamos, esta estrategia implica la revisión total de los esquemas de consumo.

Nos parece importante que al desarrollo multirregional se acompañe una política de "desenclave" de los polos de desarrollo. En la mayoría de los casos, los créditos públicos y privados se concentran en unos cuantos puntos privilegiados, en detrimento de otras regiones o sectores económicos. Los polos de desarrollo tendrían que estar al servicio del país y no al servicio del "desarrollismo", cuyos frutos están reservados a una élite.

En la medida de lo posible, la región tratará de cubrir sus necesidades de infraestructura social como son: vivienda, escuelas, hospitales, etc., con un tipo de construcción adaptado al medio y realizado con material local (los arquitectos deberán dar muestras de creatividad y no solamente de mimetismo. . .) .

En el sector sanitario: estudio científico y promoción de la medicina indígena, con el consiguiente ahorro en productos farmacéuticos, y empleo de personal local.

Finalmente, la noción de "bienestar social" responde a la escala de valores propia de cada pueblo y su definición dependerá exclusivamente de él.

No es posible determinar qué criterios han de seguirse para el desarrollo socioeconómico de cada región y de cada nacionalidad, sin contar, ante todo, con la opinión de las poblaciones interesadas. En este sentido, la función de las autoridades autónomas y de las organizaciones regionales y locales (indias o no indias) es fundamental.

3. *Aspecto político*

El *leitmotiv* de las reivindicaciones indias es la autodeterminación política, condición imprescindible para una descolonización real.

Desde su condición de naciones oprimidas, los pueblos indios reclaman la autonomía en todos los aspectos, y más especialmente en el político, para definir su propio destino. Quieren crear unidades políticas diferenciadas que correspondan a las naciones que se formaron antes y durante la colonización, pues poseen todas las características de nación: territorio común, idioma, cultura y una historia común de explotación y opresión (de ahí la necesidad de recuperar la historia). A todos estos factores se añade una toma de conciencia cada vez más clara de su condición étnica y de un futuro común. Se diría que esa identidad nacional que los gobiernos latinoamericanos buscan dentro de las fronteras creadas por la independencia, para los pueblos indios ya es una realidad. La nación dominante ha reproducido en su seno su propia contradicción: una o varias "contra-naciones" indias, cuya historia y características nacionales se diferencian netamente de la nación dominante. En definitiva, en los países latinoamericanos con fuerte población india, la identidad nacional aparece como un mito.

Fortalecidos por su identidad nacional, los pueblos indios están en condiciones de elaborar proyectos nacionales propios, que podrán llevarse a cabo gracias a la creación de gobiernos autónomos, elegidos por los pueblos mismos. Las comunidades gozarían de la autogestión y elegirían sus propios representantes, tanto a nivel local como regional y estatal. Por este sistema, se formarían federaciones regionales de comunidades, integradas a su vez en confederaciones a nivel nacional e internacional.

En cuanto al poder político, los movimientos bolivianos y peruanos reivindican el poder indio. En Bolivia, por ejemplo, los indios son una mayoría absoluta, oprimida aunque aparezca dividida en dos sectores: mineros y campesinos. Los gobiernos bolivianos mantuvieron esta división, e incluso la izquierda, sin quererlo, la perpetúa, atribuyendo al proletariado minero un papel vanguardista aunque en realidad, y a pesar de su combatividad, es minoritario. Además, el discurso político que en general utilizan tanto el gobierno como los partidos ignora el factor indio. Los indios, por su parte, consideran esta división totalmente arbitraria, puesto que indios son tanto los obreros de las minas como los campesinos y la indianidad supera incluso el concepto de clase social.

Los indios de Nicaragua también reivindican el "poder indígena" como parte del poder popular nicaragüense. En estos dos ejemplos las estrategias políticas difieren puesto que en Bolivia la mayoría es india y en Nicaragua, minoritaria. La reivindicación del poder indio es proporcional al lugar que la población india ocupa en cada país: donde es minoritario, se expresa en términos de participación en el poder político; donde es mayoritaria, el objetivo, en un plazo más o menos largo, es la toma del poder.

El desarrollo regional y plurinacional que acabamos de analizar, se adapta a ambas posturas políticas pues los pueblos indios, sea cual sea el poder que los gobierna, siguen existiendo.

4. *El aspecto cultural*

En las perspectivas que se desprenden de las reivindicaciones indias, el aspecto cultural reviste especial importancia, puesto que, como decíamos, los indios le atribuyen un papel esencial. Desde hace siglos, se aferran de su cultura para hacer frente a la penetración occidental y a las políticas integracionistas. La cultura es un factor de resistencia: su transmisión es esencialmente oral y contribuye a mantener los lazos de la comunidad. La historia no escrita de los pueblos indios se manifiesta a través de los mitos, cuya difusión y riqueza contribuyen a conservar su personalidad cultural e histórica.

Las ideas fundamentales son las siguientes:

– rechazo de la aculturación y de la consiguiente desculturación;

– autonomía cultural;

– pluralismo cultural en el ámbito de una sociedad plurinacional y pluricultural;

– interculturación equilibrada y fecunda, fuente de riqueza cultural y de progreso;

– educación bilingüe y bicultural.

El rechazo de la aculturación forma parte del

rechazo a la política indigenista oficial, pero abarca también otros factores: enseñanza pública o privada ajena a su realidad, penetración de religiones extranjeras y de ideologías occidentales propias de otras realidades, etc. La aculturación que lleva a cabo la política oficial, es una de las facetas del colonialismo interno en los países latinoamericanos y en él coinciden todas las tendencias: con el pretexto de que las culturas indias son "tradicionales", tanto la derecha como la izquierda adoptan posturas paternalistas y colonialistas al pretender dirigir el destino de los pueblos indios sin reconocer su especificidad y sus posibilidades de organización autónoma.

La autonomía cultural supone reconocer los idiomas indios y sus posibilidades de desarrollo. La lengua materna es una necesidad esencial y un vehículo de cultura y tiene que desarrollarse en todos los aspectos de la actividad regional: escuelas, radio, televisión local (por ejemplo, la Federación de Centros Shuar en Ecuador). La cultura ha de ser promovida por todos los medios y con la participación de la población: investigación histórica, lingüística y arqueológica, recopilación de testimonios populares, estudio de la música y de la tecnología locales, intercambio cultural entre las distintas regiones, intercambio de experiencias, promoción de la artesanía, del arte y de la literatura mediante ediciones bilingües que permitan una mayor difusión en el país, diccionarios bilingües o trilingües...

El pluralismo cultural implica la descentralización de *la* cultura para permitir el florecimiento de *las* culturas. Las universidades, no ya elitistas sino populares, serían el lugar idóneo para el intercambio y la interculturación, con la misión de difundir en las distintas regiones los frutos de los intercambios. El I Congreso de Movimientos Indios de América del Sur planteó la creación de una universidad india. La idea nos parece interesante y llena de promesas: un aire innovador soplaría en todo el continente alrededor de un diálogo entre culturas, se favorecería la integración multilateral de las distintas culturas indias respetando su autenticidad. Este tipo de universidad ofrecería la posibilidad de promover la investigación sobre bases nuevas, ampliando el horizonte de soluciones para los problemas de América.

A partir del análisis de los congresos indios, observamos que la heterogeneidad de culturas es el motor de desarrollos apropiados a las distintas realidades y, lo que es más importante, su multiplicidad no se concibe como factor de división sino al contrario, como un factor de unión en la diversidad, un factor de complementariedad.

III. LAS PERSPECTIVAS

1. *El futuro de la política indigenista*

Frente al desarrollo de las organizaciones indias, la política indigenista aparece cada vez más como un instrumento obsoleto y anacrónico, al servicio del colonialismo interno de los países latinoamericanos. En la actualidad, este aparato ideológico de estado que intentó, sin lograrlo, integrar totalmente a los indios al sistema dominante, no podrá sobrevivir largo tiempo. Sería preferible que comisiones indias sustituyesen el aparato indigenista. Dirigidas por indios, podrían recibir la colaboración de los no indios. De esta forma, se invertiría el sistema seguido hasta ahora: la política indigenista en manos de los no indios con la ayuda eventual (o inexistente) de los indios. La política indigenista desaparecería en cuanto tal, pues su objetivo integracionista y colonial no corresponde a las reivindicaciones de descolonización de los indios, para dejar paso a una política indianista en manos de los indios mismos.

2. *Estrategias*

A juzgar por la evolución experimentada en estos últimos años, la presencia política india está llamada a desarrollarse, gracias a la toma de conciencia étnica y al internacionalismo del movimiento. Las estrategias más radicales se localizan en los Andes, sobre el antiguo territorio del Tawantinsuyu: la historia precolombina tiene una función motriz en las estrategias de los movimientos indios. En el caso de Guatemala, donde la población india es mayoritaria y podría legítimamente reinvindicar la civilización maya, la represión es tan fuerte y se ejerce a tantos niveles que las únicas estrategias posibles a corto plazo son la integración a la guerrilla y a las organizaciones sindicales dirigidas por no indios. En cuanto a las estrategias a largo plazo, no disponemos de ningún tipo de información, pero sabemos que la izquierda guatemalteca, y en especial los grupos armados, son conscientes del problema indio. Se puede esperar que, una vez alcanzados los objetivos esenciales, lleguen a acuerdos fecundos (la izquierda guatemalteca seguramente recuerda lo ocurrido en los años sesenta: la guerrilla fracasó porque los indios, en su gran mayoría, le fueron indiferentes. También en su *Diario* de Bolivia, el Che Guevara se lamentaba por la "falta de incorporación campesina").

¿Por qué los indios son indiferentes a la guerrilla?

En general, en América Latina los focos de guerrilla son iniciativa de no indios que los indios consideran extranjeros: los líderes vienen de la ciudad y en su mayoría se trata de intelectuales cuya ideología es totalmente diferente y aunque la causa por la que luchan es respetable, hablan un lenguaje incomprensible para las poblaciones locales. La incomprensión entre los dos grupos es mutua. Además, los guerrilleros reciben una formación basada en ideologías que nacen de otras realidades y su análisis de los problemas es esquemático y no exento de cierto paternalismo. Por su parte, los indios no han olvidado que en las luchas de los no indios (la independencia de España, por ejemplo), ellos siempre han sido perdedores y desconfían de cualquier movimiento o iniciativa no india que pretenda mejorar sus condiciones de vida, incluso cuando éstas son muy precarias. Si los no indios, por el contrario, tratan de tomar en cuenta y comprender la realidad india, los indios participarán en la lucha, tanto más cuanto que sus intereses están en peligro (es lo que ocurre actualmente en Guatemala: el Manifiesto Internacional del Ejército Guerrillero de los Pobres dedica un párrafo especial al "Problema Étnico-Nacional y la Revolución"). La participación activa de los indios en la guerrilla depende, además de una situación económica y política extrema, del reconocimiento por parte de los no indios de su especificidad y reivindicaciones propias, pero también, creemos, de la iniciativa india en su lucha por una sociedad donde tendrán el lugar que les corresponde, ya sea como detentadores del poder, ya sea participando en él en un plano de igualdad.

En cuanto a la estrategia de alianzas, hemos

visto cómo la mayoría de las organizaciones quieren luchar junto a otros sectores explotados, defendiendo siempre sus reivindicaciones específicas. Los únicos movimientos que por el momento no se plantean alianzas son los que preconizan la liberación nacional de los pueblos indios. Los primeros, reivindican la autonomía dentro de su propio país; los segundos reivindican el poder indio, ya sea dentro del país, ya sea más allá de sus actuales fronteras políticas, para reconstituir los pueblos destruidos por las guerras de "independencia". Otros, finalmente, otorgan más importancia a la salvaguarda de las comunidades, a las mejoras de tipo social y económico que al poder político extracomunitario (el caso de México, por ejemplo).

Por el desarrollo de los movimientos indios, se puede prever que adquirirán una importancia creciente en el panorama político del continente y no podrán seguir siendo ignorados por las demás organizaciones.

Cuando estos movimientos hayan alcanzado la envergadura suficiente, las demás organizaciones tendrán que comprender que no es posible seguir planteando la lucha común únicamente en términos de integración unilateral, sino que habrá que establecer acuerdos entre iguales, planteando objetivos comunes.

3. *La izquierda y los movimientos indios*

¿En qué términos puede plantearse la alianza entre organizaciones étnicas y organizaciones clasistas? De hecho, su denominador común es la lucha contra la explotación económica, pero las organizaciones indias plantean, además, la lucha contra la opresión cultural y política. Por esta razón, los indios no encuentran la forma de expresarse en las organizaciones clasistas. El término general de "campesino" se aplica únicamente a una parte de la población y concierne un solo aspecto de sus problemas. Por regla general, los programas de la izquierda no toman en cuenta a los indios, como si sus necesidades fueran exactamente las mismas que las de los no indios. La izquierda latinoamericana no reconoce la diferencia, de ahí su paternalismo: hay que "educar" a los indios para despertar en ellos una determinada "conciencia política" y este despertar únicamente puede darse a través de sus organizaciones, pero no a través de los movimientos étnicos, repitiendo así el esquema colonialista de la integración. Esta actitud responde a una visión demasiado occidental del problema indio y al temor a divisiones en el movimiento popular. Esta falta de apertura hacia el problema étnico, no sólo no evita las divisiones sino que, a la larga, puede provocar la ruptura total. Uno de los argumentos aducidos por la izquierda es que la organización india basada en la conciencia étnica, debilita la conciencia de clase (la cual, dicho sea de paso, no se forma espontáneamente). A su vez, las organizaciones clasistas no toman en cuenta a los indios: ¿cómo extrañarse entonces de que éstos se organicen de otra forma? Se puede decir que al querer englobar a los indios en la clase campesina, al ignorar sus derechos en cuanto pueblos y al utilizar un discurso totalmente europeo ajeno a su realidad, la izquierda ha contribuido, por contradicción, al desarrollo de los movimientos indios.

La mayoría de los partidos y sindicatos de izquierda se reclaman del marxismo, pero esta filosofía, que debería ser dinámica y abierta, con demasiada frecuencia se revela dogmática y esclerotizada sobre esquemas importados.[7] Sin embargo, el marxismo no es contrario al reconocimiento de la cuestión nacional. Ramiro Reinaga dice que hay que "indianizar el marxismo".[8] Sería urgente que los marxistas latinoamericanos examinaran de cerca la "cuestión nacional" (muchos marxistas, entre ellos Lenin, lo hicieron a finales del siglo XIX y principios del XX, presionados por los acontecimientos) para elaborar nuevas estrategias utilizando los instrumentos tanto del marxismo como del indianismo. En América Latina la cuestión india es el centro de la cuestión nacional. Es un debate inaplazable que debería llamar la atención de todos los sectores progresistas sobre el problema indio y decidirles a pronunciarse claramente sobre la cuestión en lugar de eludirla. La nueva reflexión ya no ha de regirse por esquemas europeos que no corresponden a la realidad y sólo reproducen la dependencia.

Por el estudio de las reivindicaciones indias, podemos ver la decepción de las poblaciones autóctonas ante la incomprensión de aquellos que se dicen "progresistas". Para el futuro del continente es muy grave que por mimetismo y falta de análisis de la realidad, la coincidencia de opiniones sea cada vez menor. Las dos poblaciones, india y no india, viven la una al lado de la otra desde hace siglos y seguirán conviviendo. ¿No sería hora de encontrar la mejor fórmula de coexistencia?

[7] Esta preocupación se observa en Edgar Montiel ("¿Un nuevo orden social para la filosofía?", en *Cuadernos Americanos,* núm. 6, México, 1981) quien muestra el mimetismo conceptual de las ciencias sociales latinoamericanas y propone un esfuerzo de creación conceptual que responda a las esencias históricas del continente.

[8] Ramiro Reinaga, *Ideología y raza en América Latina,* Bolivia, Ed. Futuro, 1972.

A pesar de nuestras críticas, no dejamos de reconocer que la izquierda ha hecho algunos esfuerzos para proponer soluciones: ya hemos hablado de la actitud de la guerrilla en Guatemala; en el Brasil, el Plan de Acción del Partido de los Trabajadores (PT) tiene previsto apoyar los movimientos de defensa de los derechos de los indios, la defensa de su patrimonio cultural exigiendo la delimitación de sus tierras, el reconocimiento de su propiedad colectiva y la autodeterminación junto con el derecho a controlar el proceso de producción. Hasta donde hemos podido comprobar, esta toma de posición es un caso único en América Latina.

Por otra parte, en su XIX Congreso, el Partido Comunista Mexicano planteó la cuestión étnica. Estos son algunos de los planteamientos:

"El Consejo [Consejo Nacional de Pueblos Indígenas] está en proceso de democratización y puede convertirse en un organismo que lucha por emancipar a los grupos étnicos, a condición de que sea independiente del estado y de los partidos políticos.

"Como grupos étnicos diferentes, su existencia y sus derechos no tienen un espacio político para expresarse ni para ejercerse.

"El PCM lucha por el reconocimiento de los derechos económicos, políticos y sociales de los grupos étnicos en una nación multiétnica y plurilingüe. Para ello debe *impulsar la participación de los miembros de los grupos étnicos en las organizaciones de clase* en las que luchen por los intereses generales de aquella a la cual pertenecen, y desde esta posición formulen los programas de demandas específicas de los grupos étnicos."[9]

[9] Boletín de discusión preparatoria del XIX Congreso del PCM, 1980.

Si por un lado el hecho de que un partido comunista latinoamericano tome en consideración el problema étnico al reconocer la existencia de una organización india como el CNPI supone un avance, por otro lado no podemos dejar de observar la contradicción entre el reconocimiento de una organización (el CNPI) que debería ser independiente del estado y de los partidos, y el hecho de que el PCM considera que los miembros de los grupos étnicos deberían integrarse en las organizaciones clasistas. En definitiva, volvemos a comprobar la política integracionista tradicional de los partidos políticos.

IV. CONCLUSIONES

Obligatoriamente, esta última parte es una especulación sobre el futuro, partiendo de las nuevas perspectivas que se desprenden de las organizaciones indias. No pretendemos enumerarlas todas, pues son numerosas e incluso irán aumentando con la evolución de los acontecimientos y de los movimientos mismos. Lo que sí haremos es resumirlas: los pueblos indios quieren una sociedad plurinacional y pluricultural y un proyecto de civilización propio, basado en su propia historia y en sus propios valores. Únicamente la autonomía de los diferentes pueblos, tanto indios como no indios, podrá permitir el desarrollo pleno de la plurinacionalidad y del pluriculturalismo. Los pueblos mismos determinarán las modalidades de su autonomía, conforme al grado de independencia que desean conseguir. Por otra parte, los pueblos indios quieren promover un tipo de socialismo autogestionario a partir de las realidades americanas y que responde fundamentalmente al comunitarismo indio. Proponen un desarrollo que se armonice con la naturaleza, una alternativa civilizatoria capaz de reducir la dependencia de los países indo y latinoamericanos, puesto que se basa en las posibilidades endógenas del desarrollo.

El potencial revolucionario que poseen los pueblos indios está plenamente demostrado: en un lapso de tiempo más o menos breve, estarán en condiciones de hacer estallar una revolución tanto estructural como civilizatoria, solos o con el apoyo de otros sectores progresistas.

CONCLUSIONES GENERALES

En este ensayo hemos tratado de demostrar cómo el indigenismo, oficializado a través de los aparatos ideológicos del estado creados por los diferentes países de América llamada Latina, persigue dos objetivos principales:

— integración al sistema dominante;

— asimilación a la nación dominante y consolidación de ésta.

Desde la época colonial, el indigenismo ha tratado de romper la relación comunitaria entre el indio y la tierra, valiéndose para ello de las leyes liberales sobre privatización.

En cuanto a la política indigenista de los liberales después de la independencia, hay que analizar sus motivaciones considerando el contexto: había que consolidar las jóvenes "naciones" independientes integrando dentro de cada nuevo estado los distintos pueblos; el liberalismo, ideología "progresista" de la época, se aplicó con la convicción de beneficiar a los pueblos, lo que demuestra hasta qué punto es preciso que toda idea importada pase por la criba de la crítica, antes de ser aplicada a una realidad diferente a aquella en que se concibió.

En todos los regímenes políticos, todos los textos del indigenismo oficial contienen la misma ideología integracionista/aculturacionista: se trata de "resolver" el problema indio luchando contra sus consecuencias y no contra sus causas. La política indigenista también se adapta a nuevas ideas tales como "participación", cooperativismo, desarrollo integral, modernización, etc. pero son ideas nuevas en una estructura obsoleta. El nuevo indigenismo que ha ido perfilándose a partir del VIII Congreso del Instituto Indigenista Interamericano de Mérida, se adapta a las exigencias expresadas por los indios mismos a través de sus organizaciones y prevé la revalorización de las culturas autóctonas.

El indigenismo está al servicio de las grandes opciones del gobierno central: "nacionalismo mexicano"; "desarrollismo" y conquista de la Amazonia en Brasil y en otros países; modernización del capitalismo, etcétera.

El indigenismo oficial sigue una política integracionista unilateral cuyas consecuencias son múltiples: desintegración comunitaria, desculturación, emigración, proletarización, marginación. El indio tiene que integrarse unilateralmente al sistema dominante en todos los aspectos: económico, cultural, civilizatorio, etc. Por otra parte, esta integración también permite consolidar la nación: se convierte entonces en integración nacional, a partir de la cual se construirá la identidad nacional, tema de actualidad en América Latina para todas las tendencias políticas. La identidad nacional es un mito en la mayoría de los países latinoamericanos, pero no por ello deja de ser el objetivo tanto de la derecha como de la izquierda a expensas, naturalmente, de los pueblos indios cuya identidad se niega en nombre de las necesidades de la nación dominante.

Sin embargo, estos grandes objetivos de la política indigenista, no deben impedirnos reconocer los aspectos positivos del indigenismo. Ya hemos visto cómo el indigenismo en sus comienzos poseía un potencial reformador que desapareció al ser recuperado por los gobiernos; pero hizo posible, de todos modos, que se tomara conciencia del problema indio y de su inferioridad en la estructura social.

Si hacemos un balance de la política indigenista, hay que reconocer los progresos realizados especialmente en los aspectos sanitario y de educación (aunque ésta se conciba con fines aculturacionistas). Las reformas agrarias permiten a los indios recuperar parte de sus tierras. La investigación antropológica enfoca el problema desde otra perspectiva, como en México por ejemplo, donde los nuevos indigenistas discrepan con el indigenismo tradicional. No se discute el papel catalizador del indigenismo en cuanto toma de conciencia por parte de los no indios y también en cuanto a concienciación de las mismas poblaciones indias, pero sus limitaciones también son indiscutibles. El hecho de que tanto los indios como algunos indigenistas pongan en tela de juicio el indigenismo oficial, demuestra que finalmente el balance es negativo y el problema indio no ha hecho sino empeorar. Las relaciones entre indios y no indios no han cambiado, la política indigenista sigue favoreciendo el colonialismo interno y la penetración de ideologías occidentales, lo que los pueblos autóctonos llaman imperialismo multidimensional. Tampoco se ha desprendido del paternalismo tradicional, ni ha sabido impedir el despojo de tierras, paralelo a la expansión del capitalismo en el campo, especialmente a través de grandes proyectos de desarrollo y de agroexportación.

La política indigenista aparece como una mezcla de liberalismo, de nacionalismo y de colonialismo interno, que a veces puede tomar aspectos progresista (las épocas de Cárdenas y de Echeverría en México, por ejemplo) o reaccionarios (en Brasil, en Chile después del golpe de estado de

1973). Pero en ningún caso pone en discusión la integración unilateral.

Según nuestro estudio, y a la vista de las críticas de las organizaciones indias, esta política desaparecerá si no lleva a cabo una revisión total de sus objetivos y de sus estructuras. Su gran defecto es querer ocuparse de los problemas de los indios sin contar con su participación, y cuando existe, siempre es secundaria y no tienen poder de decisión.

Si el indigenismo oficial quiere seguir con vida (lo que parece evidente), tiene que transformarse. La acción indigenista tiene que llevarse a cabo *con* los indios, no *para* los indios, mediante una colaboración fecunda y bilateral entendida en un plano de igualdad. Las instituciones indigenistas tendrían que estar dirigidas por indios, verdaderos representantes de sus pueblos, para defender realmente sus intereses, contando con el apoyo de los no indios.

En cuanto a la organización india que se ha ido desarrollando en los últimos años, es la consecuencia de una situación que sigue siendo colonial a pesar de la independencia. Contrariamente a lo sucedido en África y en Asia, donde a raíz de la descolonización los pueblos autóctonos han tomado el poder político, la "independencia" de los países latinoamericanos únicamente benefició a los criollos descendientes de los colonizadores europeos que han conservado la ideología colonialista bajo formas más modernas y sutiles. Para los indios, el problema del poder político sigue en pie y se sienten frustrados por una "descolonización" que no les concierne. La consecuencia es un colonialismo interno que afecta todos los aspectos de la sociedad.

En los textos indios consultados, el problema aparece como problema de *colonización* de pueblos con una personalidad histórica "nacional", de nacionalidades oprimidas y frustradas en sus trayectorias históricas (de ahí la importancia fundamental de la recuperación de la historia), y de *civilización.* Los grandes temas de las organizaciones indias son: la descolonización, la autodeterminación (autonomía regional para unas, "liberación nacional" para otras) y el desarrollo de su propia civilización.

El auge que en los últimos tiempos están tomando los movimientos indios se inserta en un contexto global de renovación étnica y regional, que podemos observar en todo el mundo, contra el centralismo de estado y el universalismo occidental de la cultura y del desarrollo. Son el medio de expresión y de lucha contra un sistema que pretende ser universal. Poner en tela de juicio los valores occidentales no significa querer eliminarlos, sino suprimir la función colonizadora que ahoga las "otras" culturas. Esta reacción india podría inducir a los occidentales a reflexionar sobre sus propias opciones y a criticarlas, lo que podría suponer para ellos un avance y los pueblos oprimidos, por su parte, tienen su aportación que dar al desarrollo y al patrimonio de la humanidad, pero para ello es imprescindible terminar con la opresión.

Los indios se organizan políticamente también porque no encuentran su lugar en las organizaciones no indias, en particular en los partidos políticos. En general, éstos dan prioridad a la lucha de clases y. en este estrecho marco los pueblos indios no tienen la posibilidad de defender la potencialidad de sus intereses que no son forzosamente los mismos que para otros sectores de la población, aunque algunos se asemejen. Alrededor de estos puntos comunes podría formarse la alianza entre indios y no indios. A veces, los respectivos intereses son totalmente opuestos (éste es un tema a desarrollar; en efecto: intereses que para los progresistas son legítimos, para los indios son reaccionarios. Un buen ejemplo de esta contradicción son los conflictos agrarios en el Brasil). En consecuencia, los no indios defienden los intereses de los indios únicamente en la medida en que se trata de intereses de *clase* y no de *pueblos* y el desarrollo de la organización india responde a la necesidad de defender ellos mismos sus propios intereses, pues no es posible contar con los demás... Mediante la organización independiente de los partidos, se pretende evitar la recuperación política de que son objeto. Una crítica formulada frecuentemente por los no indios es que los indios son fácilmente recuperables por algunas tendencias como el populismo. A pesar de ser un discurso demagógico, el populismo es capaz de reconocer la diferencia y la indianidad, y a veces, la dignidad de los pueblos, su cultura, resultan más importantes que las promesas de bienestar material...

Para sostener los movimientos indios, se está desarrollando una nueva (para los occidentales) ideología; el indianismo, respuesta ideológica a la ideología occidental universalista. Son cada vez más numerosas las organizaciones que se reclaman de esta ideología que se reproduce mediante la cultura de resistencia, en su función de oposición al sistema dominante. Estos movimientos reivindican el derecho a la diferencia y el derecho también a cultivar esta diferencia.

El nivel de radicalismo de las organizaciones difiere según el grado de explotación económica, de opresión cultural y política y de discriminación social y racial que padecen los pueblos representados. Las más radicales plantean sus problemas en términos de liberación nacional y, por ahora, están localizadas en las regiones andinas, lo que demuestra la función motriz de la historia y de las referencias a la civilización propiamente india (Tawantinsuyu). Estas organizaciones también reivindican el poder indio.

Los no indios creen ver en estos movimientos radicales cierto idealismo paseísta debido a las continuas referencias al Tawantinsuyu. Si puede parecer difícil la reunificación a corto plazo del Tawantinsuyu, no hay que tomar la idea tan a la ligera: el Tawantinsuyu es un imperio que existió realmente, con una civilización y una historia y el referirse a él es una prueba del potencial histórico y civilizatorio de los pueblos indios, no un deseo nostálgico de retorno al pasado.

Con frecuencia, la radicalización de las organizaciones indias responde a la actitud que los no indios, en especial los sectores llamados progresistas, adoptan hacia ellas al no reconocer la diferencia. Por ello, es sumamente importante que los no indios se planteen la *cuestión nacional* y se pronuncien con claridad sobre el problema indio. Desgraciadamente, la gran mayoría de los progresistas latinoamericanos creen todavía, exactamente igual que las clases dominantes, en el mito de la identidad nacional y del desarrollo occidental a toda costa; con esta actitud no hacen sino fomentar la dependencia de sus países, rechazando las alternativas que los pueblos indios podrían proponer. Aquí tocamos también el mito de la modernización en los países dependientes que no hace sino empeorar los antagonismos ya existentes. La comprensión y el diálogo entre los movimientos indios y no indios podría fortalecer la lucha contra la dependencia multidimensional del continente.

Las reivindicaciones indias pueden resumirse de la siguiente forma: autodeterminación de los pueblos a todos los niveles. No es nuestra intención decidir en este trabajo cuáles serán las modalidades de esta autodeterminación: es una decisión que pertenece a los propios pueblos indios y que dependerá también de la actitud que tanto los gobiernos como los no indios en general adoptarán frente al problema.

El potencial revolucionario de los pueblos indios ofrece perspectivas de cambio tanto estructural como cultural y civilizatorio, que de hecho, significará la recuperación y el desarrollo de las estructuras comunitarias, de sus culturas y civilizaciones, que podrán naturalmente "modernizarse" siguiendo *otra* trayectoria. Hay que reemprender un camino que la irrupción de la civilización occidental interrumpió violentamente. Esta actitud no significa el rechazo de Occidente. Se trata de hacer pasar sus aportaciones por la criba de la crítica, en función de las necesidades de la cultura receptora, para no entorpecer el desarrollo original de estos pueblos que pueden reducir la dependencia gracias a la riqueza y multiplicidad de sus propias aportaciones.

El desarrollo de la organización india recibe el apoyo de una nueva generación de antropólogos (comprometidos en la acción, según las directrices de las dos Declaraciones de Barbados, en 1971 y 1977) que hacen una autocrítica a fondo sobre la colonización de las ciencias sociales y enfocan la problemática india en su multidimensionalidad, otorgando una importancia fundamental a los aspectos étnicos, políticos y civilizatorios de la cuestión.

Los años setenta quedarán marcados en América Latina por la renovación india y todo hace suponer que la década de los ochenta será la de su aparición en la escena política. Seguramente este resurgimiento traerá nuevas persecuciones y masacres. Esperemos también que tanto los gobiernos como los partidos políticos y los sectores no indios en general tomen una actitud más abierta, tanto más cuanto que la actual crisis a nivel mundial requiere con urgencia otras alternativas de desarrollo y habrá que definir nuevas estrategias económicas, culturales y políticas... Las poblaciones indias, en su categoría de pueblos diferenciados, podrían asumir un papel preponderante en el futuro de las Américas. Objetivamente, el futuro de muchos países depende tanto de los indios como de los no indios, pero también y en primer lugar, del diálogo (o de la ausencia de diálogo) que haya entre ellos. Por último, es urgente que todas las fuerzas políticas reflexionen seriamente sobre la *cuestión nacional* (que con toda seguridad resultará ser *la* cuestión *plurinacional*) tan íntimamente ligada al derecho de los pueblos.

BIBLIOGRAFÍA

Actas Finales de los Tres Primeros Congresos Indigenistas Interamericanos, Ciudad de Guatemala, Publicaciones del Comité Organizador, mayo de 1959.

Aguirre Beltrán, Gonzalo, *El proceso de la aculturación,* México, UNAM, 1957, Problemas Científicos y Filosóficos, 3.

Albó, Javier, *Achacachi: medio siglo de lucha campesina,* La Paz, Centro de Investigación y Promoción del Campesinado, 1979, Cuadernos de Investigación, 19.

Araujo Oliveira, Ismarth, "Política indigenista brasileña", *América Indígena,* 37 (1), enero-marzo de 1977, pp. 41-63.

Arizpe, Lourdes, *El reto del pluralismo cultural,* México, INI, Investigaciones Sociales núm. 2, 1978.

Manuel Aquezolo Castro (comp.), *La polémica del indigenismo,* prólogo y notas de Luis Alberto Sánchez, Lima, Mosca Azul Editores, 1976.

Auroi, Claude, *Contradictions et conflits dans la réforme agraire péruvienne: le cas de la SAIS Rio Grande (Puno),* Ginebra, Institut Universitaire d'Études du Développement, 1980, Notes et Travaux núm. 7.

Báez-Jorge, Félix, "Indigenismo e impugnación", en *Siete ensayos sobre indigenismo,* México, INI, 1977, Serie Cuadernos de Trabajo (6), pp. 51-72.

Balandier, Georges, *El concepto de "situación" colonial,* Guatemala, Ministerio de Educación, 1970, Cuadernos del Seminario de Integración Social Guatemalteca, núm. 22, cuarta serie editorial José de Pineda Ibarra, tomado de *Sociologie actuelle de l'Afrique noire* (París, PUF, 1963), traducción de Juan Comas.

Barreiro-Saguier, Rubén, *Le Paraguay,* traducido del español por Jean-Paul Duviols, París, Bordas, col. Études 201, 1972.

Bartolomé, Miguel Alberto, "Las nacionalidades indígenas emergentes en México", en *Las nacionalidades indígenas en México, Revista Mexicana de Ciencias Políticas y Sociales,* 97, UNAM, julio-septiembre de 1979, pp. 6-26.

Bonfil Batalla, Guillermo, "Los pueblos indígenas: viejos problemas, nuevas demandas", en *México hoy,* México, Siglo XXI, 1979, pp. 97-107.

Bonfil Batalla, Guillermo, *La nueva presencia política de los indios: un reto a la creatividad latinoamericana*, Casa de las Américas, núm. 116, septiembre-octubre de 1979, pp. 65-80.

Bonfil Batalla, Guillermo, *Utopía y revolución*, México, Nueva Imagen, Compilación de documentos sobre el pensamiento político contemporáneo de los indios en América Latina, 1981.

Bonfil Batalla, Guillermo, *El concepto de indio en América: una categoría de la situación colonial*, Anales de Antropología, vol. IX, México, 1972.

Bonfil Batalla, Guillermo y Rodríguez, Nemesio, *Las identidades prohibidas. Situación y proyectos de los pueblos indios de América Latina*, México, 1981. [En prensa en la Universidad de Naciones Unidas, Tokio.]

Bonilla, Víctor Daniel, *Siervos de Dios, amos de indios*, Bogotá, Ed. Tercer Mundo, 1968.

Bourgeois, Philippe y Grunberg Jorge, *La mosquitia y la revolución: Informe de una investigación rural en la costa atlántica norte* (1980) presentado al INRA, Departamento de planificación, Proyecto de Investigación Rural en la Costa Atlántica, Managua, Nicaragua, mayo de 1980.

CADAL, *Solución original a un problema actual. Federación de Centros Shuar*, documento núm. 3, septiembre de 1977.

Cardoso de Oliveira, Roberto, "Movimientos indígenas e indigenismo en Brasil", en *Anuario Indigenista*, III, vol. XLI, 3, México, 1981, pp. 399-405.

Carnero Hoke, Guillermo, "¿Qué es el movimiento indio? Teoría y práctica de la indianidad: ¡cuando querramos, el poder es nuestro!" en *Cuadernos Indios*, núm. 1, Perú.

Carnero Hoke, Guillermo, *¿Qué somos y qué queremos?* en *Ñoqanchis*, núm. 1, abril de 1977, CADAL, documento 3, México, septiembre de 1977.

Casarrubias, Vicente, *Rebeliones indígenas en la Nueva España*, Guatemala, Ministerio de Educación Pública, Biblioteca de Cultura Popular, 1951.

Castillo Avendaño, Walter del, *Compilación legal de la reforma agraria en Bolivia*, La Paz, 1955.

Castrillón Arboleda, Diego, *El indio Quintín Lame*, Bogotá, Ed. Tercer Mundo, col. Tribuna Libre, 1973.

Chonchol, Jacques, *Conférence: Le problème agraire en Amérique Latine*, Institut de Sociologie de l'Université Libre de Bruxelles, Centre d'Études de l'Amérique Latine, Conférences, Bruselas, 1978, pp. 91-115.

CIESAS, INI, SEP, Programa de Etnolingüística, Centro de Investigaciones y Estudios Superiores en Antropología Social, *Imperialismo y descolonización,* Pátzcuaro, Mich., 1980.

CINEP (Centro de Investigación y Educación), *Indígenas y represión en Colombia, Controversia 79,* Bogotá, 1979.

Clastres, Pierre, *Recherches d'anthropologie politique,* París, Seuil, 1980. [*Investigaciones de antropología política,* Barcelona, Gedisa, 1981.]

Clastres, Pierre, *La société contre l'État: recherches d'anthropologie politique*, París, Minuit, col. Critiques, 1974.

Collin-Delavaud, Claude, *L'évolution du régime militaire péruvien (1975-1977), Notes et Études Documentaires, La Documentation Française,* Problèmes d'Amérique Latine, núm. 4457, 24 de febrero de 1977, pp. 7-66.

Colombres, Adolfo (compilación, prólogo y notas), *Hacia la autogestión indígena,* Quito, Edic. del Sol, Serie Antropología, 1977.

Colombres, Adolfo, *Manual del promotor cultural* (tres vols.) México, Ediciones del Centro Cultural Mazahua, 1980.

CRIC, Cuartilla del CRIC núm. 1, "Nuestras luchas de ayer y de hoy", Popayán, Cauca, febrero de 1973.

CRIC, Cuartilla del CRIC núm. 2, "¿Cómo nos organizamos?", Popayán, Cauca, febrero de 1973.

Declaración de Barbados I, 30 de junio de 1971.

Declaración de Barbados II, 28 de julio de 1977.

Demyk, Michel, "Les populations indigènes du Guatemala. Indianité et indigénisme", *N. D., La Documentation Française*, núms. 4366-4367, pp. 69-80.

D'Espagnat, Bernard, "Théorie quantique et réalite", en *Pour la Science,* enero de 1980, núm. 27, edición francesa de *Scientific American*, pp. 72-87.

DIAL (Diffusion de l'information sur l'Amérique Latine), *Le réveil indien en Amérique Latine,* compilación y presentación de Yves Materne, París, CERF, Terres de Feu, 1976.

FAO, *Desarrollo en las estructuras agrarias de América Latina,* Informe de la Consulta de expertos celebrada en Berlín-Tegel, 19 de noviembre-1 de diciembre de 1973, ONU para la agricultura y la alimentación. (Fundación Alemana para el Desarrollo Internacional.)

Fals Borda, Orlando, *El reformismo por dentro en América Latina,* México, Siglo XXI, col. mínima, 3a. ed., 1976.

Fals Borda, Orlando, *Historia de la cuestión agraria en Colombia,* Bogotá, Publicaciones de la Rosca, 1975.

Favre, Henri, "L'intégration socio-économique des communautés indigènes du Mexique", *Revue Tiers-Monde,* núm. 15, vol. IV, 1963.

Favre, Henri, "L'action indigéniste en Amérique Latine", *N. D., La Documentation Française,* núm. 3317, 9 de septiembre de 1966.

Favre, Henri, "L'indigénisme mexicain: naissance, développement, crise et renouveau", *N. D., La Documentation Française,* núms. 4338-39-40, 2 de diciembre de 1976, pp. 67-82.

Foster, George M., *Las culturas tradicionales y los cambios técnicos*, México, FCE, 1964.

Gilhodes, Pierre, *Politique et violence. La question agraire en Colombie, 1958-1971,* París, A. Colin, 1974. Cahiers de la Fondation Nationale des Sciences Politiques 191.

Gilhodes, Pierre, *Las luchas agrarias en Colombia,* Medellín, Ed. la Carreta, 3a. ed., 1976 (1a. 1972).

Gonzalo Sánchez, G., *Las ligas campesinas en Colombia,* Bogotá, Ed. Tiempo Presente, 1977.

Gros, Christian, *Les mouvements sociaux paysans dans le sud-ouest colombien (Valle-Cauca-Nariño),* CNRS, Doc. de travail núm. 2, 1976.

Haya de la Torre, V. M., *¿Adónde va Indoamérica?,* Buenos Aires, Ed. Indoamericana, 1954.

Heisenberg Werner, *Physique et philosophie,* París, Albin Michel, Sciences d'Aujourd-hui, 1961 y 1971. [Hay edición en español.]

Herbert, Jean-Loup, Guzmán Bockler, Carlos y Quan, Julio, *Indianité et lutte de classes*, París, Union Générale d'Éditions, 1972, 10/18.

Hernández, Franco Gabriel, "De la educación indígena tradicional a la educación indígena bilingüe-bicultural", en *Las nacionalidades indígenas en México, Revista de Ciencias Políticas y Sociales,* 97, UNAM, julio-septiembre de 1979.

Huizer, Gerrit, *El potencial revolucionario del campesino en América Latina,* México, Siglo XXI, 1973.

Indianidad y descolonización en América Latina: documentos de la Segunda Reunión de Barbados, México, Nueva Imagen, Serie Interétnica, 1979.

I.I.I., *América Indígena,* vol. XXXVIII, México, enero-marzo de 1978.

I.I.I., *Anuario Indigenista,* vol. XXXVI, México, diciembre de 1976.

I.I.I. *Anuario Indigenista, Informe de Labores*, vol. XXXVII, México, diciembre de 1977.

I.I.I., *Anuario Indigenista,* vol. XL, México, 1980, *VIII Congreso Indigenista Interamericano* (1980). Inauguración, informes, foros paralelos. Acta final.

INI, "INI 30 años después, revisión crítica", número especial aniversario de *México Indígena*, México, diciembre de 1978.

INI, *Bases para la Acción 1977-1982,* México, 1977.

INSERM, *Colloque: Anthropologie des populations andines,* Toulouse, 30-31 de agosto de 1976, París, 1 de septiembre de 1976, París, Ed. INSERM, 1977.

Jaulin, Robert, *La paix blanche. Introduction à l'étchnocide,* París, Seuil, 1970.

Lavaud, Jean-Pierre, "Bolivie, la démocratie entrevue", *N. D., La Documentation Française,* núms. 4545-4548, 18 de diciembre de 1979.

Lavaud, Jean-Pierre, "La mobilisation politique du paysannat bolivien", en *Revue Française de Sociologie,* XVIII, 4, octubre-diciembre de 1977, pp. 625-649.

Lepargneur, François, *L'avenir des indiens du Brésil,* París, Ed. du CERF, Terres de Feu, 1975.

Lévi-Strauss, Claude, *Race et histoire,* París, Denoël, Bibliothèque Médiations, 1980. ["Raza e historia" en *Antropología estructural,* México, Siglo XXI, 1979.]

Lenin, V. I., *Du droit des nations à disposer d'elles-mêmes,* París, Éditions Sociales, 1973. [*Sobre el derecho de las naciones a la autodeterminación,* en *Obras escogidas,* Moscú, Progreso, 1966, tomo I.]

Mariátegui, José Carlos, *Peruanicemos al Perú,* Lima, Biblioteca Amauta, 1970, Colección Obras Completas, 11.

Mariátegui, José Carlos, 7 *ensayos de interpretación de la realidad peruana,* Lima, Biblioteca Amauta, 1974, 16a. ed.

Marroquín, Alejandro, *Balance del indigenismo. Informe sobre la política indigenista en América Latina,* México, I.I.I. Sección de Investigaciones Antropológicas, Ediciones Especiales, 62, 1972.

Medina, Andrés, "Los Indios", en *Siete ensayos sobre indigenismo,* INI, Serie Cuadernos de Trabajo, 6, México, 1977, pp. 19-28.

Medina, Andrés, *Tres puntos de referencia en el indigenismo mexicano contemporáneo,* México, UNAM, Instituto de Investigaciones Antropológicas, diciembre de 1973, pp. 19-29.

Menjívar, Rafael, *Reforma agraria: Guatemala, Bolivia, Cuba,* San Salvador, Editorial Universitaria de El Salvador, 1969.

Ministerio de Gobierno, Dirección General de Integración y Desarrollo de la Comunidad, *Legislación Nacional sobre Indígenas,* Bogotá, 1970.

Ministerio de Trabajo y Asuntos Indígenas, *Plan Nacional de Integración de la población aborigen, informe*, Lima, octubre de 1965.

Minority Right Group, *Quel est l'avenir des indiens d'Amérique du Sud?*, Londres, 1977, Informe núm. 15, nueva ed.

MISURASATA, *Lineamientos Generales*, La unidad indígena de las tres etnias del Atlántico de Nicaragua, Managua, 1980, Año de la Alfabetización.

Montiel, Edgar, "¿Una filosofía de la subversión creadora? Cuatro contiendas decisivas para la filosofía latinoamericana", en *Cuadernos Americanos*, núm. 6, noviembre-diciembre de 1980, pp. 53-89.

Montiel, Edgar, "Niveles de participación y de decisión, estructuras políticas y proyectos de desarrollo endógeno: elementos para una tipología", en *Niveles de participación popular, ejercicio de las decisiones y desarrollo*, París, UNESCO, 1980, pp. 112-146.

Montiel, Edgar, "¿Un nuevo orden social para la filosofía?", en *Cuadernos Americanos*, núm. 6, noviembre-diciembre de 1981, pp. 65-74.

ORPA, documento, *La verdadera magnitud del racismo* (Racismo II), Guatemala, mayo de 1978.

Pérez Patón, Roberto, *La reforma agraria en Bolivia, sus resultados*, La Paz, Bolivia, Ed. Fénix, 1961.

Piel, Jean, "Évolution historique des communautés indiennes du Pérou", *N. D., La Documentation Française*, XX, 5 de julio de 1971.

Reinaga, Fausto, *América india y Occidente*, La Paz, Ed. PIB, 1974.

Reynaga Burgoa, Ramiro, *Ideología y raza en América Latina*, Bolivia, Ed. Futuro, 1972.

Ribeiro, Darcy, *Frontières indigènes de la civilisation*, París, Union Générale d'Éditions, 10/18, 1979. [*Fronteras indígenas de la civilización*, México, Siglo XXI, 1971.]

Rodríguez, Nemesio, *Indios: Los palestinos de América o los territorios "vacíos" del estado*, México, agosto 1981. Documentos enviados por CADAL a la Conferencia Internacional de las Organizaciones no Gubernamentales de las Naciones Unidas acerca de las poblaciones indígenas y la tierra, Palacio de las Naciones, Ginebra, Suiza, 15-18 de septiembre de 1981.

Rodríguez, Nemesio y Soubié, Edith, "La población indígena actual en América Latina", *Nueva Antropología*, año III, núm. 9, México, 1978, pp. 49-66.

Rodríguez, Nemesio y Varese, Stefano, *Experiencias orga-*

nizativas en América Latina, México, SEP, Dirección General de Educación Indígena, 1981.

Roel Pineda, Virgilio, "Nueva ideología, los sabios y grandiosos fundamentos de la indianidad", *Ñoqanchis,* núm. 2, junio de 1977, en CADAL, doc. núm. 3, México, septiembre de 1977.

Sanders, Douglas E., *The formation of the World Council of Indigenous People,* IWGIA Document 29, Copenhague, 1977.

Santana, Roberto, "Le projet shuar et la stratégie de colonisation du sud-est équatorien. L'encadrement des paysanneries dans les zones de colonisation", París III, Travaux et Mémoires de l'Institut des Hautes Études d'Amerique Latine, París, 1978, Laboratoire Associé 111 du CNRS, pp. 55-66.

Sigal, Silvia, "Participación y sociedad nacional: el caso de las comunidades rurales en América Latina", *Revista Latinoamericana de Sociología,* Buenos Aires, vol. III, núm. 2, julio de 1967, pp. 232-285.

Silva Herzog, Jesús, *La Révolution mexicaine,* París, Petite Collection Maspero, 1968.

SINAMOS, *Compilación de legislación sobre comunidades campesinas,* Lima, Perú, 1967.

Stavenhagen, Rodolfo, *Las clases sociales en las sociedades agrarias,* México, Siglo XXI, 12a. ed., 1980.

Stavenhagen, Rodolfo, *Problemas étnicos y campesinos. Ensayos,* México, INI, Serie de Antropología Social, 1979.

Torres Giraldo, Ignacio, *La cuestión indígena en Colombia,* Bogotá, Publicaciones de la Rosca, 1975.

Valcárcel, Daniel, *Rebeliones Indígenas,* Lima, PTCM, 1956.

Valencia y Valencia, Jaime, "Consideraciones generales sobre la política indigenista en Colombia", en *América Indígena,* 32 (4), octubre-diciembre de 1972, pp. 1285-1293.

Varese, Stefano, *Procesos educativos y diversidad étnica: el caso del estado de Oaxaca,* París, UNESCO, Unidad de la Educación Permanente, 1980.

Varese, Stefano, "Indianidad y proyecto civilizatorio en Latinoamérica" en *Las nacionalidades indígenas de México,* en *Revista de Ciencias Políticas y Sociales,* México, UNAM, julio-septiembre de 1979, pp. 161-176.

Varese, Stefano, *The forest indians in the present political situation of Peru,* IWGIA Document, Copenhague, 1972.

Vega, Juan José, "Tupac Amarú, Tupac Catari, Tomás Catari: las rivalidades entre los caudillos rebeldes durante el alzamiento tupacamarista", en *Congreso Internacional de historia de América,* Lima, 1971, pp. 155-168.

Vela, David, *Orientación y recomendación del I Congreso Indigenista Interamericano,* Publicaciones del Comité Organizador del IV Congreso Indigenista Interamericano, Ciudad de Guatemala, mayo de 1959.

Wolf, Eric, *Les guerres paysannes du vingtième siècle,* París, Maspero, Bibliothèque d'Anthropologie, 1974. [*Las luchas campesinas del siglo* XX, México, Siglo XXI, 1972.]

Yaranga Valderrama, Abdón, *Néo-génocide et ethnocide dans la forêt péruvienne,* París VIII, Section de Langues et de Cultures Amérindiennes, París, 1978.

Wankar, *Tawantinsuyu. Cinco siglos de guerra qheswaymara contra España,* México, Nueva Imagen, Serie Interétnica, 1981.

impreso en editorial andrómeda, s. a.
av. año de juárez 226 local c/col. granjas san antonio
del. iztapalapa-09070 méxico, d. f.
un mil ejemplares y sobrantes
15 de abril de 1988

colección antropología

El mito del canibalismo. Antropología y antropofagia
W. Arens

Formación de una cultura nacional indoamericana
José María Arguedas

El destino del guerrero
Georges Dumézil

Los dioses de los germanos
Georges Dumézil

El lenguaje perdido. Ensayo sobre la diferencia antropológica
Jean Duvignaud

Vida de María Sabina, la sabia de los hongos
Álvaro Estrada

Ensayos de antropología social
E. E. Evans-Pritchard

Hombre y cultura: la obra de Bronislaw Malinowski
R. Firth, E. R. Leach, L. Mair,

S. F. Nadel y T. Parsons

Economía, fetichismo y religión en las sociedades primitivas
Maurice Godelier

Juegos y juguetes
Robert Jaulin

El origen de las maneras de mesa. Mitológicas III
Claude Lévi-Strauss

El hombre desnudo. Mitológicas IV
Claude Lévi-Strauss

Antropología estructural: Mito/sociedad/humanidades
Claude Lévi-Strauss

La vía de las máscaras
Claude Lévi-Strauss

Amazonia
Betty J. Meggers

Mujeres, graneros y capitales. Economía doméstica y capitalismo
Claude Meillassoux

Las mujeres en la sociedad mercantil
Edición preparada por Andrée Michel

Los tobas argentinos: armonía y disonancia en una sociedad
Elmer S. Miller

Mary Douglas

Las teorías de la religión primitiva

E. E. Evans-Pritchard

El desarrollo de la teoría antropológica

Marvin Harris

Mito, ritual y costumbre: ensayos heterodoxos

M. Arthur Hocard

Cultura y comunicación. La lógica de la conexión de los símbolos

Edmund Leach

La selva de los símbolos

Victor Turner